JN059330

運命が変えた世界史 下

ペリー公暗殺から人類初の月面着陸まで

Portraits et destins

フランク・フェラン *Franck Ferrand*

神田順子 *Junko Kanda*／清水珠代 *Tamayo Shimizu*／
濱田英作 *Eisaku Hamada*／村上尚子 *Naoko Murakami* 訳

原書房

運命が変えた世界史・下　ベリー公暗殺から人類初の月面着陸まで◆目次

運命が変えた世界史◆上・目次

11

ベリー公死なんとす

一八二〇年六月七日、三六歳の馬具職人、ルイ・ピエール・ルヴェルがパリのグレーヴ広場でギロチンにかけられた。その四か月前、まだ若いこのボナパルト派の男は、国王ルイ一八世の甥でありフランス・ブルボン家唯一の後継者だったベリー公を暗殺した。

ジャン・ピエール・ルヴェルは、ルイ一六世治世下のヴェルサイユに生まれた。しかしながら、この青年はナポレオンを崇拝するあまり、エルバ島へ、またエクス島へと、敗者となった元皇帝の後を追った。同行が許されたら、セントヘレナにさえ行ったことだろう。敬愛する皇帝ナポレオンを失ったルヴェルは絶望の淵に沈んだが、これは内向した絶望であっただけに危険であった。ナポレオンが流刑となるや、ルヴェルはラ・ロシェル港で革縫い用の錐（きり）を買い、本来の用途からはずれたやり方で使うことにした。この道具で、ただ一人王家を存続させることが可能な高貴なプリンス、ベリー公シャルル＝フェルディナンの命を奪うのだ。ベリー公はルイ一八世の甥で、アルトワ伯の次男だった［ルイ一八世には子どもがおらず、弟アルトワ伯が王位を継ぐことは確実だった。アルトワ伯の長男アングレーム公は、ルイ一六世とマリー＝アントワネットの長女マリー＝テレーズと結婚したが、子どもに恵まれなかったため、次男ベリー公だけがブルボン家存続の頼みの綱だった］。

ルヴェルと同じく、シャルル＝フェルディナンもヴェルサイユに生まれた。しかし、二人の共通点はここまでである。シャルル＝フェルディナンの子ども時代は、旧体制（アンシャンレジーム）の血を引くプリンスのぜいたくな暮らしそのものだった。一七八九年七月一四日、パリの民衆が蜂起し、バスティーユ牢獄を占領した事件が起きてまもなく、シャルル＝フェルディナンの父はまだ一一歳だった息子をつれて亡命した。錚々（そうそう）たる亡命貴族に囲まれて国外で成長した彼は、二四歳のときロンドンに移って家族と合流し、王冠のない、なにより色を好むプリンスとして甘い生活を送った。三、四年後、シャルル＝フェルディナンは英国美人で牧師の娘だったエイミー・ブラウンと恋に落ち、同じ屋根の下に暮らした。エイミーは二人の女の子を産み、静かだった生活が明るくにぎやかになった。「愛し、愛されるという人間の幸福の最たるものを味わっているよ」と、シャルル＝フェルディナンは友人のクレルモン＝ロデヴに打ち明けた。

しかし歴史の流れは早々に愛の巣におしよせた。一八一四年、ナポレオンが退位し王政復古となり、シャルル＝フェルディナンの一族は、復活したブルボン王朝の頂点に返り咲いた。昨日まで恰幅のいいお人よしのジェントルマンだった素敵なベリー公が、今日からパリに行かねばならない――かわいそうなエイミーもパリまでついてきて、信頼できる友人、コワニー公のもとに預けられた。フランス生まれのベリー公は、その地位にふさわしい行ないをし、――ここが肝心だが――フランス王国待望の後継者をブルボン家に残さねばならなくなった。人々はひそかに、ベリー公はロンドンでの亡命生活中、エイミー・ブラウンと婚姻関係を結んだのかという根本的な疑問をいだいていた。これはだれにもわからないままとなる。結婚が成立していたかどうか、いずれにせよ――もしもカトリック教会で結婚していたら無効にする必要があり、プロテスタントであればたんに無視する必要があったものの――、ただひとつ確かなのは、一八一六年六月一七日、三八歳のベリー公シャルル＝フェルディナンは、二〇歳年下の美しいナポリ王女、マリー＝カロリーヌと結婚したことだ。ベリー公夫人となったマリー＝カロリーヌはまもなく妊娠したが、次々生まれたのは女の子で、いずれも難産のすえ、生後まもなく亡くなり、世間を落胆させた。さいわい、大文字のマドモアゼル［王弟の娘の敬称］となる三人目のプリンセスが一八一九年九月に生まれた。しかし、皆が期待していたのはプリンスだった…。そして一八二〇年二月、マリー＝カロリーヌは、ふたたび「有利な状況」になったと夫に報告することができたが、吉報は伏せられた。

一八二〇年、パリの謝肉祭はひときわ輝いていた——厳しい寒さのうえ、ほとんど毎晩、霧氷がパリの町をおおいつくしたのである。就任したばかりのエリー・ドゥカズ首相は貴族階級に自由な空気を吹きこんだ。破天荒とはいわずとも、フランス革命期の総裁政府以来味わえなかった雰囲気だった。ゆえに上流階級は、謝肉祭と冬の舞踏会シーズンを満喫し、今日は仮装行列、明日は仮装パーティと忙しかった…。二月一三日日曜、ベリー公夫妻のオペラ座臨席が告げられた。現在のルヴォワ広場にあった、リシュリュー通りの立派な劇場である。その頃ベリー公とただならぬ仲だった美女、ヴィルジニー・オレイユがバレエに出演する予定だということは、公爵夫人マリー＝カロリーヌの耳に入れない方がよかろうと周囲は判断した。

マリー=カロリーヌの懐妊は知られていなかったので、そのために夫妻の外出を延期することなどだれも思いつかなかった。この輝かしい夕べにベリー公夫妻が登場するのを皆が待ち受けていた——その日一日、ポケットに入れた革通しの鋭い切っ先を指で確かめながら、劇場周辺を歩きまわっていたルヴェルをはじめとする皆が。暗く凍えるような夜、八時きっかりに、数台のベルリン型馬車の車輪の音が響いてきた。豪華な宮廷馬車の列だった。お供をつれたベリー公夫妻がおもむろに降りてきた…寒空の下、ルヴェルは至近距離にいたが、前にふみ出ることはなかった。

ルヴェルは界隈をうろうろしたあげく、一一時少し前に戻り、オペラ座の明かりの近く、表口に陣どった。劇場内では、ルイ=ジャック・ミロン作のバレエ『ガマシュの結婚』がはじまったところだった。貴賓席の最前列で、ベリー公はオレイユ嬢にほれぼれしすぎないよう用心した…隣の席にいるマリー＝カロリーヌは青いタフタの柄つき鼻眼鏡のかげで欠伸をしていた。ベリー公は眉をひそめ、随行していた同じボックスの貴族に今何時かたずねてから――「一一時でございます、殿下」――、妻に「ほら、カロリーヌ、夜更かしもほどほどにしたら」と耳打ちした。マリー＝カロリーヌはできるだけめだたないように立ち上がった。ベリー公はマントをはおりもせず、お付きの者数人とともに、妃を馬車まで見送ろうとした。

外気はますます身を切るように冷たかった。マリー＝カロリーヌ一行の馬車が動きはじめるのを見とどけるや、ショワズール伯爵は腕をこすりながら入口の柱廊に戻ろうとした。伯爵が劇場内に足をふみいれた瞬間、背後の暗闇で、ベリー公が見知らぬ者につき倒されて叫んだ。「とんでもない乱暴者がいる！」。逃げていく狼藉者にショワズールもうろたえて「おい、気をつけろ！」と叫んだ。ベリー公とショワズールの短い会話が続いた。「ああ、刺されました！　その男に殺されました！」「殿下、おけがをなさったのですか？」「わたしは死にました！　死んだのです！」短刀がここに…」。動揺するばかりの者もいれば、傷を負ったベリー公を支える者や、闇のなか、刺客を追う者もいた…

マリー＝カロリーヌは何が起こったのか、たちどころに理解した。馬車を止めさせると、踏み台が下ろされるのも待たず、地面に降りた。ベティジー夫人が駆けよって制止しようとしたが、マリー＝カロリーヌはそれをふりきり、縁石の上でもはや虫の息のベリー公のもとへ走った。「ねえ、ねえカロリーヌ、君の腕のなかで死にたい…」、ベリー公はため息まじりに言った。彼は胸に刺さった革通しを自分で引きぬいた。血があふれ出し、マリー＝カロリーヌの明るい色の美しいドレスを無残に染めた。「わたしはもう死ぬ！　早く、司祭を！」。貴賓席の案内役、ルレ夫人が悲鳴と泣き声を聞きつけてやってきた。「マダム・ルレ、刺されました！」。ベリー公は叫び、仰向けに倒れた。

追跡されたルヴェルはついに捕まり、貴族たちはラモー通りに面した貴賓室の小さなサロンでベリー公を力づけていた。ルレ夫人は内務大臣の貴賓室に足を運んだ。「子爵さま、公爵さまが暗殺されました…」「なに？　どういうことだ」。オーケストラの演奏は続いていた。舞台では、オレイユ嬢が一心に演技している最中で、くるくるまわったりつま先で立ったりをくりかえしていた。劇場支配人の執務室では、ルヴェルを尋問していた。ルヴェルはみずからの過激な考えを隠そうとせず、フランス王家のプリンスたちへの憎しみをぶちまけた。しかし、自分を殺めようとした者を許してやってほしいと叫ぶベリー公の声が貴賓室から聞こえると、ルヴェルの目に涙が浮かんだ。ベリー公は苦痛に顔をゆがませながら「犯人は外国人か?」とたずねた。「いいえ、殿下…」「ああ! 同じフランス人の手にかけられて死ぬとはむごい。おそらく知らぬうちにその男を傷つけたにちがいない!」とベリー公はうめいた。

一階平土間席から駆けつけたブゴン医師が、皮膚の治癒をうながす浸出液を少しでも出すために傷口を吸おうとするのを、ベリー公は押しとどめた。「なにをなさいます。凶器に毒がぬられていたかもしれませんよ！」。しかしルヴェルはそんなことはしていないとはっきり言った。事件が起きたことが劇場の中だけでなく外にもしだいに伝わり、仮装した人々が謝肉祭のさなかに驚くべき知らせを受け、ラモー通りに続々おしよせた。ヴィルジニー・オレイユも、バレエの衣装をつけたまま、泣き顔で貴賓室の入り口に姿を現わしたが、わきへつれていかれ、泣きわめいてもがいた。ベリー公は口をつぐんでいた…

人々は簡易ベッドを置いて急ごしらえの救護室と化した部屋にベリー公を運びこみ、服を脱がせ、身体をふいた。足をたらいに浸けたり、皮膚に吸角をあてて膿や悪血を吸いよせようとしたりした…。医師たちは急遽、瀉血と浣腸をすることにした。「なぜこんなに苦しめるのだ？　短刀は心臓まで刺さった…」。路上に群がるおびえた野次馬の目の前で、医師たちは血液や排泄物を窓から投げすてた。何台もの馬車でごった返すなか、王家の人々がようやくオペラ座に到着した。ベリー公の兄、アングレーム公とその妃が枕もとに案内されてきた。将来のルイ＝フィリップ一世をはじめとするオルレアン家の親族は隣の部屋ですでに待機していた。シャルトル司教猊下ラティルは瀕死のベリー公の告解聴聞を申し入れた。王弟殿下であるベリー公の父も、マイエ公につきそわれ、ポリニャック家の馬車でようやくたどり着いた。疲弊した肥満体で移動がままならない国王ルイ一八世だけはまだ現われなかった。

デュピュイトラン医師も到着した。この名外科医は指で傷口を調べたので、ベリー公はまたしても苦痛の叫び声をあげた。人影が動く窓の下で、寒気のなか密集した仮面の群衆は、ベリー公の悲鳴が夜空を引き裂くたび、茫然としてざわめいた。「ああ、カロリーヌ、君はほんとうにかわいそう！」と、ベリー公はため息をついた。ふたたび告解をした後、ベリー公はもう一度妻をよび、結婚する前、あるイギリス人女性とのあいだに娘を二人もうけたことを打ち明けた。「その人たちをよびよせましょう。二人の女の子をわが子のように面倒をみます」と、マリー＝カロリーヌは小声で答えた。だがそもそも公爵家のプリンセスはどこにいるのか、となったところへ、侍女がおくるみに包んだ赤ん坊をつれてきた。父ベリー公は娘を見ると涙にくれた。そして、プリンセスの異母姉であるシャルロットとルイーズがようやく現われると、ベリー公は英語で「母をうやまいなさい。そしてつねに徳の道を歩みなさい」と言った。妻には「子どもたちを頼む…」と言った。マリー＝カロリーヌは、二人の少女が赤ん坊のプリンセスにキスするのをじっと見つめながら、「ほら、シャルル、わたしには三人も子どもがいるわ」と夫に言った。

オペラのフィナーレのような断末魔の苦しみが延々と続いた…。夜明け近い午前五時になり、ようやく国王ルイ一八世が駕籠(かご)のようなものに乗って登場した。瀕死のベリー公は力をふりしぼって、犯人に恩赦をあたえるよう国王に懇願した。ルイ一八世はきっぱりと「すべて熟考を要する」とだけ言った。ベリー公は六時すぎに息を引きとった。訃報はフランス中、いやヨーロッパ中に衝撃を広げることになる。ドゥカズ首相はまもなく辞任し、寛容の時代は終わりを告げ、重苦しい空気がフランスをおおいつくした…。ベリー公の非業の死は二つの結末を見た。まず六月七日、ルヴェルが公開処刑された。そして九月二九日、のちにシャンボール伯となる小さなプリンスが父亡き後に生まれた。この子が誕生したことで、ブルボン家断絶をはかったベリー公暗殺はまったく無意味だったことになる。ルヴェルがマリー＝カロリーヌの懐妊を知っていたら、おそらく暗殺計画をあきらめていただろうといえる。歴史はなにが運命の分かれ道になるかわからない！

奇跡の子

ベリー公亡き後の一八二〇年九月二九日――すなわち父親が暗殺されてから七か月あまり後――テュイルリー宮殿で生まれた子どもに、大伯父である国王ルイ一八世がボルドー公爵の称号をあたえたのは、一八一四年にブルボン家をいち早く支持したボルドーという町への敬意によるものだった。のちにボルドー公は、復古王政時代に国民からつのった寄付によってあたえられた有名な城の名にちなみ「シャンボール伯」という称号でフランス人に知られることになる。一八三〇年に起きた七月革命によって、シャンボール伯の祖父である国王シャルル一〇世が退位させられたとき、後継として王位につくはずだったのは伯父アングレーム公だった。しかしアングレーム公が王位につくことを断念したので、ボルドー伯が即位する運びになったが、やはりこれも成立しなかった。代わって、対抗するルイ一四世の弟の血筋、オルレアン家のルイ＝フィリップが即位し（フランスの王ではなく）「フランス人の王」となった。シャンボール伯はその後四〇年間亡命生活を送ることになり、その間、一八五一年からはオーストリアのフロースドルフに滞在した。一八七〇年に第二帝政が崩壊すると、王位継承を狙うシャンボール伯はようやくフランスに戻った。しかしその三年後、フランス革命を象徴する三色旗を国の象徴として承認することをかたくなに拒んだため、王政復古の望みはついえた。一八七五年、第三共和政が正式に成立した。生誕時に「奇跡の子」とよばれたシャンボール伯は、一八八三年八月二四日、フロースドルフの自邸で、消化器系の病気で亡くなった。

12

一八四〇年、遺骸の帰還

ナポレオン一世の遺骸は国王ルイ＝フィリップのはからいでアンヴァリッド（廃兵院）に納められた。こうして皇帝ナポレオンは望みどおり、「セーヌ川のほとりで、こよなく愛したフランス国民に囲まれて」眠ることになった…。ナポレオン人気を巧みに利用したこの政治的イベントの、表と裏をふりかえってみよう。

雪が降っていた。人々は悲しみにつつまれていた。皇帝ナポレオンははじめて、国民の歓呼を受けながら、フランスに、パリに帰ろうとしていた。ヴィクトル・ユーゴーは、ナポレオンの栄光と没落をテーマとした詩の第一行目に「雪が降っていた」［この詩は、ロシア遠征からの悲惨な撤退のシーンからはじまる］と書いたが、この日もまさにそうであった。なお、ユーゴーはこの一八四〇年一二月頃にはすでに、『東方詩集』、『ノートルダム・ド・パリ』、『リュイ・ブラース』によって名声を博していた。雪はパリをおおいつくし、人々の声を消し、この日のために豪華な装飾をほどこされたアンヴァリッドの壁面を真っ白にした。吹雪の舞うなか、人々は、風が吹きすさぶ南大西洋の僻地、南アフリカ沖合の絶海の孤島セントヘレナで一九年以上前に亡くなったナポレオン一世を祖国の地に返そうとしていた。

ワーテルローの戦いで敗北し、ふたたび退位したナポレオンはとうとうイギリス領に幽閉され、一八二一年五月五日、ロングウッド・ハウスで息を引きとった。「これは事件ではなく、たんなるニュースです」と、タレーランは肩をすくめて言った。だが、タレーランは判断を少々早まった。訃報に続く数年間、ナポレオンは伝説的存在に高められ、かつてナポレオン戦争の騒乱に疲れきっていたはずのフランス人の大多数がその風潮に染まったからである。ブルボン王朝が復活したフランスで、ユーゴーを筆頭とする新しい世代は、フランス革命を否定することなくみごとに完結させ、次の時代への橋渡しをしたこの比類のない人物に栄光をあたえた。

一八四〇年、国民のあいだで、懐かしさと誇りをもってナポレオンを回顧しようとする気運が高まっていた。一〇年前の七月革命で成立したルイ＝フィリップ政権は、とりわけ農村地帯に根強く残るボナパルティストらを味方につけながら、帝政時代の栄光の名残にあやかることのメリットを理解していた。ゆえに「フランス人の王」ルイ＝フィリップは、うら若いヴィクトリア女王の厚意に意を強くし、皇帝ナポレオンの遺骸の返還をイギリスに正式に求め、世界のはてのこの島に遺骸を回収に行く仕事を三男のジョアンヴィル公と若手総督ロアン＝シャボにまかせることができると確信した。五月一二日、内務大臣シャルル・ド・レミュザは議会にナポレオンの遺骸の祖国帰還を告げた。

一八四〇年七月七日、フリゲート艦「ベル＝プール」がトゥーロンを出港した。船上には、理工科学校（エコールポリテクニク）校長となった、もはや足元のおぼつかない大元帥ベルトラン、ルイ＝フィリップの副官をつとめる短気なグルゴー男爵、初期からナポレオンの忠実な従僕だったが、いまや国民軍の中尉となったマルシャン、『セントヘレナ覚書』の編者の息子で、以来国事院（コンセイユ・デタ）の評定官をつとめる熱血漢のラス・カーズ男爵といった、元皇帝に随伴して島流しの苦楽を分かちあった者をはじめとする多くのナポレオンの信奉者がいた。皆、七月王政にみごとに適応した人々であり、そのほとんどがフランスの地への遺骸返還のための募金集めに応じてもいなかった。船上の人とならなかったのは、負債がかさんでロンドンに亡命していた大物、モントロン将軍くらいだった。当時将軍は、のちにナポレオン三世という名の皇帝となるナポレオンの甥に肩入れしており、ブーローニュ＝シュル＝メールの一揆の準備に余念がなかった。

船は平穏に航行し、寄港地は美しく、船上や港で何度も宴がもたれた。遺骸の輸送中、すくなくとも往路にかんしては、死者に黙想を捧げるような厳粛な雰囲気ではまったくなかった。セントヘレナ最大の町、ジェームズタウンに到着したのは、フランス政府が急遽派遣したブリッグ［帆船］のほうが、「ベル＝プール」号よりも先だった。ブリッグは「ベル＝プール」号の三週間後にシェルブールを出港したにもかかわらず、である！　筆者は別の著書（"L'Histoire interdite"、タランディエ社、二〇〇八年）で、一八四〇年一〇月八日から一八日にかけ、フランス使節団がセントヘレナに滞在したときに現地のイギリス高官がみせたすくなくとも尋常ではないふるまいについて、またジョアンヴィル公ら一同のそれにおとらぬ奇妙な反応について、詳しく考察した。それをここでくりかえすつもりはない。やっかいなエジプト問題をめぐって仏英関係が急に冷えこんだことが影響し、イギリス側は、しばしば無礼といっていいほどかたくなな態度に出たいっぽう、フランス側はいらだちを抑えきれなかったのかもしれない、と言うにとどめておく。

一八二一年にナポレオンが葬られて以来荒れ放題だった通称ゼラニウムの谷で、

一〇月一五日の早朝、雨のなかでひそかに遺体の発掘が行なわれた。悪条件下にもかかわらず、また遺骸がこのとき人目にさらされたのはほんのつかのまだったにもかかわらず、棺のなかの配置が大きく変わっていることに気づいた人々がいた。遺体の位置、臓腑を入れたカノポス壺と帽子の置き方、軍服や勲章やブーツの状態が、二〇年間放置されたあいだに変わってしまったのだった。そのため、のちに疑い深い人々は、遺体が差し替えられていたのではないかと言ったが、このときばかりはだれもが、疑いを差しはさむことをひかえた。

一八四〇年一二月一五日、厳粛なおももちの王室の人々が、絵の描かれた布やにわか作りの装飾をほどこしたアンヴァリッドに壮麗な霊柩車を迎えたとき、パリは雪が降っていた。歴史家オクターヴ・オブリによると、前日の夜、ナポレオンの遺体を「スペイン、ロシア、フランス国内の戦役に参加した元兵士たちが武器を手に、凍えながらわき目もふらず」一晩中見守り、この偉人に黙して敬意を表した。金の鎧をつけた一六頭の馬が引く巨大な霊柩車は、寓意をこめた装飾や軍旗や戦勝旗の重みでいまにも倒壊しそうだった。ナポレオンのシンボルであった蜂の意匠をちらし、月桂樹を冠した〈N〉印の描かれた布が霊柩車の側面をおおっていた。霊柩車のてっぺんには二〇体ほどの巨大な勝利の女神像がすえられ、黒いヴェールをかけた棺を途方もなく大きな盾にのせて掲げていた。

長旅を終えた棺はこの二週間前にシェルブールに到着していた。ル・アーヴルまでは、「ノルマンディ」号と「ドラド〔鯛の一種〕」号という二艘の河川用船舶を乗り継いで運び、さらに粛々とセーヌ川をさかのぼった。周辺に駐留していた部隊が表敬のため集まってきた。一般民衆もそれにおとらぬ思いでおしよせ、帽子をとり、首都へ一路向かう皇帝の遺骸を前にし、黙して弔意を表した。一二月一四日、パリ近郊のクルブヴォアに着くと、パリっ子たちが駆けつけた。「セーヌの両岸は、寒さというよりむしろこみ上げる感情で身をこわばらせた人々で埋めつくされた。ワーテルローの総参謀長でありいまや首相となった老いたるスールトも足を運び、栄達の恩がありながらルイ一八世におもねり、山師扱いしたかつての上官が眠る棺の前にひれ伏した」と、オブリは述べている。

大砲がとどろき、鐘が音高く鳴るなか、雪はひっきりなしに降りつづけ、霊柩車は真新しい凱旋門をくぐってシャンゼリゼ通りを下り、セーヌの向こう岸のアンヴァリッドをめざして右に曲がった。行列が通りかかると群衆は喝采し、叫び、歌った――そして壮大な霊柩車に続いて、くたびれた軍服に身をつつんだ白髪の大陸軍老兵(グランダルメ)の一隊が現われると、胸を打たれて口をつぐんだ。すでに遠ざかった歴史の彼方から、このときとばかりに老兵たちが立ち現われてきたかのようだった。雪はあいかわらず降っていた。

ここでヴィクトル・ユーゴーが不動の地位をゆずることはないだろう。彼はこの特別な一日のハイライトを語った『見聞録』を残してくれている。『諸世紀の伝説』には、ナポレオンの帰還について歌った詩がいくつもおさめられている。

おお大帝国の皇帝よ、貴殿が通るのを見れば

国民も兵士も跪(ひざまず)く
しかし貴殿は彼らのほうに身をかがめ
『余は満足なり』と言うことはできないだろう！

行列がアンヴァリッドの中庭にたどり着くと、吹きさらしのひな壇で寒さに震えていた王の賓客たちは一斉に立ち上がった。移動にもちいられた安置壇から棺が下ろされたが、予定では任務をそのまま続行するはずだった老兵たちは、さすがに体力のおとろえを隠せず、若い兵士たちに場所をゆずらねばならなかった。サーベルをぬき、ナポレオンの遺骸を父ルイ＝フィリップに示し、大仕事を完了したのはジョワンヴィル公だった。ルイ＝フィリップは息子をねぎらい、アウステルリッツの戦いで使った剣を捧げもっていたスールト首相をふりかえると、自分のほうへ来るよう合図を送った。「ベルトラン将軍、皇帝の剣を棺の上に置くように」と、ルイ＝フィリップは元宮廷大元帥［ベルトラン］のほうを向いて言った。ベルトラン将軍はお辞儀をしたが、感きわまったかあるいは立場を考えたのか、せっかくの名誉な役割を辞退した。代わって引き受けたのはグルゴー男爵だった。追悼ミサはパリ大司教の司式で二時間にわたって厳かに行なわれたが、一八二一年のセントヘレナでのいかにも簡略な弔いとの歴然たる違いに思いをはせる人もいたにちがいない。

やはりここでもユーゴーにご登場いただこう。

凍りついた空！　汚れなき太陽！　おお！　歴史のなかで光り輝く
悲劇に終わった皇帝の勝利の松明が！
国民が永遠にそなたを記憶にとどめんことを！
栄光のごとく美しく、墓場のごとく寒い日！

棺は教会に三週間も展示され、大勢のパリっ子が拝みに来た。そして一八四一年二月六日、サン＝ジェローム教会に移され、さらに二〇年後の一八六一年、建築家ヴィスコンティが設計した大きな墓が完成した。こうしてナポレオンはパリの真ん中に眠ることになり、壮大な叙事詩が幕を閉じた…。この一二月一五日の葬儀に、アンヴァリッド総督である老元帥モンセーは病人用の椅子で運ばれながら顔をみせた。前世紀にはルイ一五世とルイ一六世の側に立って戦い、その後はナポレオンのイタリア遠征につきしたがい、近衛隊を指揮したのは彼である…。荘厳な儀式が終わり、ミサの大ろうそくが消え、群衆が四散すると、モンセーは椅子を引いていた従僕に言った。「さあ、あとは帰って死ぬばかり」。雪がとうとうやんだ。

二〇二一年に開催された没後二〇〇周年記念行事に先駆けて、ナポレオンの墓の改修のため、フランス以外の国も対象にふくめて八〇万ユーロの寄付金募集が二〇一九年春からはじまった。一八四二年の春、開放的な円形のクリプタを中心にすえた、偉大な建築家ルイ・ヴィスコンティのデザインが、ヴィクトル・バルタールらほかの建築家のものより高く評価された。当初、ヴィスコンティ案では、ジュール・アルドゥアン＝マンサール設計の見事なドー

ムの下にナポレオンの彫像を設置するはずだったが、ルイ=フィリップ政権の反対にあった。皇帝ナポレオンに敬意を表するのは結構だが、過度に記憶を美化してはならないという見解だった。一八四八年の二月革命で混乱した改修工事がようやく完成したのは第二帝政時代なかばのことだった。一八五三年に亡くなったヴィスコンティは、ロシアのコスチョカから輸入した珪岩でできた、いまや名高い棺が設置されるのを見ることはできなかった。工事を実質的に完了させたのはジュール・ブシェ、そしてアルフォンス=ニコラ・クレピネだった。

13

円明園の劫略

一八六〇年のこと、北京の西北に、筆舌につくしがたい、ひとつの宮殿があった。それは、中国皇帝、別名天子の夏の離宮だった。これを夏宮、中国では円明園という。しかしながら、この世界でもまれなる存在のすべては、英仏兵士の蛮行の犠牲となって灰塵に帰した。すなわち、ヴィクトリア女王とナポレオン三世の英仏連合軍の兵士たちの劫略にあったのだ。

すべては一八三九年、卑劣な商取引にかんしてはじまった。当時イギリスは、中国に大量のアヘンを売りつけた。その惨害に手を焼いた清朝政府は、麻薬二万箱を海中に投じた。もっともなことである。しかしイギリスにとって、これは戦争を仕かける格好の動機となった。当時の中国には、イギリスに抵抗できるような力がなかっただけに、なおのこと都合がよかった。中国は屈服したうえに、イギリスとアメリカに対して上海をふくむ五港を開港する南京条約を結ばされた。またその一方で、イギリスには香港を一世紀半にわたって割譲することとなった。

それから二年たって、フランスも条約を結び、同様の利権を獲得した。しかもそこにはカトリック宣教団の保護を保証する条項がくわわっていた。遺憾なことに、一八五六年に、一人の宣教師が中国人によって殺害された［当時の広西省］。その直後には、イギリス国旗を掲げたジャンク船が広州で拿捕されると同時に、多数のイギリスの商館が焼き打ちされた。反撃は迅速だった。西欧の二つの艦隊が広州を砲撃し、ついで白河（現在の海河）をさかのぼって天津――北京まで一三〇キロメートル――に到達した。

中国宮廷は恐怖した。一八五八年には新たな条約が締結された［天津条約］。英仏露米に新たな特権があたえられ、さらなる開港がくわえられた。ロンドンとパリから派遣された外交官は、エルギン卿とグロ男爵だった。両国にとって条約の批准は、たんなる手続きとなるはずだった。だが英仏勢力が白河の河口に達すると、そこは封鎖されていた［大沽で砲撃された］。戦争は避けられないのか？

一八六〇年の夏。英仏二つの小艦隊が、海外遠征部隊を上陸させた。イギリス軍はグラント卿麾下の一万二〇〇〇人、フランス軍はクーザン＝モントーバン将軍率いる八〇〇〇人。わずか二つかみほどの軍勢が、無数の中国人に相対することになったのだ——だがこの軍勢は軍備にすぐれ、近代戦の強者だった…。クーザン＝モントーバンは兵士たちの感情に訴えて鼓舞した。「いつの日にか祖国に帰還するとき、諸君は誇りに胸をふくらませて同胞に言うだろう。自分たちは異境に国旗をもちいたった、と。あの無敵のローマすら、軍団を侵攻させることなど、夢にも思わなかった地に！」

なによりもその砲撃の強さで、西欧軍は中国の最初の要衝を制圧した。次の三つの要衝も後に続いた。一言でいえば、英仏は、古い戦法にしばられた地方軍勢をみごとに打ち破ったのである。北京の宮廷は驚きあわてた。咸豊帝は「蕃夷の侵入」を糾弾する勅書を発し、「おそるべき懲罰」を約束した。これは現実的な約束とよべようか？

一八六〇年八月二二日、英仏は予告なしに、旗艦と五艘の砲艦で白河を遡行した。二日間で、船団の姿は天津に達した——当地の総督が、グロ男爵と接触をはかったところであった。交渉がはじまった。グロ男爵は、正式の謝罪があり、一八五九年の条約が履行されればフランスがそれ以上を要求することはない、と宣言した。皇帝からの使者は、すべての要求を受け入れた。だが時間稼ぎのために、使者は皇帝の玉璽がないことを理由に引き伸ばしにかかった。当時、こうした煩瑣さは中国式であり、効率を重んじるヨーロッパの流儀とは異なっていた——あれから幾星霜(いくせいそう)、いまでは立場が逆転し、欧州がお役所仕事の手続きにこだわってもたもたしているのに対して、中国は…

九月一五日、首都のほとんど門前で、皇帝の使者との最終的会談が行なわれた。

しかし、しびれをきらした連合国側は、進軍をはじめた。一八日には、奇襲が待ち受けていた。西洋の代表団が、モンゴル軍に攻撃されたのだ。外交官たちは馬からひきずり落とされ、しばられ、捕虜として連行された…。すぐさまの逆襲。八里橋で、五〇〇〇人のフランス軍が、その優越性をみせつけた。現場にいたデリソン大佐は、こう書く。「この戦いは、夢のような印象をあたえた。われわれは行進し、発砲し、殺戮した。我が方(わほう)では、被弾した者はいなかった――正確にいうと、ほぼいなかった」一五時間で、戦死した西洋人は一〇人にたりなかった。モンゴル軍は、一〇〇〇人以上が地にたおれた。

空前の豪華絢爛を誇る宮殿

周囲四〇キロメートルの敷地、三六棟の豪奢な建物、睡蓮が花開く湖水、屋根のある橋、水のめぐる庭園…。おびただしい数のパゴダ、あずまや、極度にまで贅をこらして装飾された寺院。この広大な宮殿施設に設けられたおもな建物をあげてみよう。真紅と明るい緑色に彩られ、屋根に金箔をほどこした旗人離宮〔旗人は清朝の支配階級を意味する〕、大理石を彫刻した巨大な跨線橋のたもとにある大橋宮、黄色い絹——帝室の禁色——を掲げた高い旗竿を特徴とする瞑想宮、十字形をした運河の周辺にある後宮、イエズス会宣教師の働きかけによってフランスのトリアノン宮殿に似せるべく一七五〇年頃に造られたヨーロッパ風宮殿等々、枚挙にいとまがない。だが、あらゆるものに抜きんでて驚嘆すべきは、中央をしめる帝室宮であろう。紫と金色の列柱がならび、鍍金された青銅の巨大な香炉がくゆり、図書館には数万巻におよぶ貴重な写本が置かれていた。

その時期、皇帝はすでに宮廷をひきつれて熱河離宮に避難するために、円明園を去っていた。摂政をまかされた弟［恭親王奕訢］が、連合軍の指揮者たちとの交渉にあたった――すでに時遅しだった。彼らは一〇月六日の早暁午前四時を期して、円明園襲撃を企図していた。正確を期すれば、イギリス軍は例によって例のごとく、フランス軍になにも知らせることなく、深夜に行軍を開始した。摂政が交渉を試みているころ、英軍指揮官たちは、なにをかいわんや、すでに円明園内にいたのである…

次に到着したフランス軍も、忘我の境地だった。デリソン大佐は書いている。「いまや、われわれの目の前にくりひろげられたあらゆる壮麗さを描写するには、知るかぎりの貴重な宝石の見本を流れる黄金のなかに溶かしこんでインクとし、仙女の膝に抱かれて育ち、ごく幼いころから夢のような宝物のなかでたわむれることに慣れ親しんだ東洋の詩人の幻想を羽枝とするダイヤモンドのペンをこれにひたして綴らねばならない」。この文章の少し先には、次のような述懐がある。「所有者が逃走のさいにもちだすことなく放棄した大量の富をまのあたりにしたわれわれは、だれかに命じられたわけでもないのに、思わずひそひそ声で話し、爪先立ちで歩きはじめた。そこそこのブルジョワが戦火をのがれるため、マホガニー製の家具を残したまま、自分の屋敷の門を閉めて立ち去ったかのように」

混乱を避けるために、グラントとクーザン＝モントーバンは、分捕物を両軍で折半することにした。デリソン大佐は、さらに書く。「フランス軍はいきあたりばったりに略奪し、面白半分に破壊し、貴重だと思った宝石をむしりとり、置時計を斧でたたき壊し、オルゴールやからくり大時計に飛びついた。どの兵隊たちも鳥や猿や兎をかたどった飾り、オルゴール、めざまし時計を奪った。どこからも音が響いた。あらゆる音色で、それは仕切りなしにチリンチリンと鳴りつづけ、いたるところに、荒くれた指が乱暴に扱ったためにばね仕かけが折れる悲鳴がともなった。シンバル叩きの猿の伴奏に合わせて無数の兎が太鼓を打ち鳴らして、四千ものオルゴールや鳥風琴が同時に奏でる四千ものロマンスやカドリールの低音部を担当していた。いちばん大きく聞こえていたのは、鳥のさえずり、フルートのルラド［装飾的パッセージ」、クラリネットの鼻声、管楽器やバグパイプの音と交錯する弦楽器の最高音の軋み、そしてまた、ちょっとしたことでも面白がる単純な兵士たちのどか笑いであった」と。贅言は無用だろう…。大佐は述べる。「貴重な布地が、数ピエ［一ピエは約三二五ミリ］ほどの高さに中庭に積み上げられた。われわれはそれを、荷造りの緩衝材かシーツのようにもちいた」

それでも西洋人たちは、ただの略奪にとどめようとしなかった。［清朝の］さまざまな暴虐に対する復讐という名目で、グラントはこの至宝たる宮殿を焼きはらうことを要求した。フランス軍指揮官たちは、少しのあいだ、それに反対しようと試みた。クーザン＝モントーバンは、組織的報復を拒絶した。グロ男爵は、思いきって弁舌をふるった。「そうした破壊は意味のない報復です。われわれが遺憾とするところの嘆かわしい残虐行為を正すことに少しも役立つものではありませんから」と彼は論じたが、だが無念にも、エルギン卿［ジェイムズ・ブルース］は、聞く耳すらもたなかった。彼は、拷問によって死に追いやられ、豚の餌にされた西洋の記者のことを口にして、唯一の反論とした。「もしもその特派員の仇をとらなかったら、タイムズ紙はなんと書くでしょうか？」

復仇の開始が告げられた。一八六〇年一〇月一八日と一九日、円明園は細心の注意をもって組織された焼き打ちの犠牲となった。二日二晩ではその驚異の規模を灰塵に帰すにはいたらなかったが、だがなにも容赦はされなかった——古代中国文明のもっとも貴重な古写本の蔵書すら焼きつくされた。すなわち、五〇〇〇巻からなる書物もふくまれる、一万点を超す書籍が破壊された——アレクサンドリア図書館のそれを越える、最悪の焚書とよべよう…

その直後、摂政皇太子は降伏した。彼は英仏に対して、無条件で、きわめて重い戦争賠償金の支払いを受け入れた。これで、西洋の中国に対する敬意は過去のものとなった。一一月の初めに北京を離れたとき、英仏同盟軍は、悪鬼の形相を呈していた。悪鬼は、ロンドンとパリで熱狂的に迎えられた。エルギン卿は、ほどなくインド副王に指名された。クーザン＝モントーバン将軍は、パリカオ［八里橋］伯となった…。ただ一人、それに付和雷同せずに、あえて真実を語ったのは、母国から亡命していたヴィクトル・ユゴーの声のみだった。「不日、二人の強盗が、円明園に押し入った。一人は略奪し、一人は火をつけた。これを見るに、勝利の女神が泥棒かもしれない。歴史の裁きの庭で、盗賊の一人はフランスと、もう一人はイギリスとよばれる」

ヴィクトル・ユゴーの哀悼の辞［抜粋。これはある軍人に対する公開書簡という形式で発表された］

「かつて世界の一隅に、世界の驚異がありました。この驚異は、夏宮（円明園）とぞよばれておりました。（…）形容することもできない建築物、夢幻のなかの建物のようなものを想像してほしいのです。円明園は、まさにそうした建造物でありました。大理石、玉、青銅、陶磁で一つの夢を建立してください。そして、これを宝石でおおい、絹で包みなさい。此方(こなた)には聖所を、彼方(あなた)には後宮、城塞を設け、神々と怪物を祀(まつ)りましょう。釉をかけ、琺瑯をほどこし、金箔を貼り、詩人でもある建築家に、千夜一夜の千とひとつの夢を建てさせるのです。

庭園、泉池、泡立つ噴水、白鳥、孔雀を配しなさい。一言でいうならば、宮殿と神殿の形態をとった、人間の途方もない夢がつまった魔法の洞窟を想像してください。以上が、あの壮大な離宮の姿だったのです。二世代のゆっくりとした造営の結実であったのです。一つの都市の規模をもつこの離宮は、何世紀も存続するように建造されました。だれのために？　人びとのためであります。時間が造るものは、人類のものであるがゆえにです。芸術家、詩人、哲学者たちは、円明園を知っておりました。ヴォルテールはこれについて語っております。ギリシアにはパルテノン、エジプトにはピラミッド、ローマにはコロッセオ、パリにはノートルダム大聖堂、東方には円明園がある、といわれたものでした。人々は目にしたことはなくとも、憧れをいだいて空想していたのです。いつの夜明けにかおぼろげに目にする畏怖すべき未知の傑作、西洋文明の地平線に投げかけられた、東方文明の影だったのであります」

14

第三共和政の悲願達成

ジュール・フェリーの先導のもと、フランスでは初等教育は無償となり（一八八一年六月）、教会と切り離されて世俗的となり、かつ就学が義務化された（一八八二年三月）。国民を教育し、フランスの栄光に貢献することを使命とすべく、公教育の変容がはじまった。

「加齢とともに、新学年のはじまりによせる思いは高まるばかりだ」と述べたのはアナトール・フランスである。小学校時代を懐かしむこうした気持ちは、現代よりもアナトール・フランスの時代のほうが強かったといえよう。当時、学校は一種の神殿であった…。著作『わたしの友人の本』（一八八五年）のなかで、アナトール・フランスは、幼年時代の自分を第三者の目でふりかえっている。涼しい朝の空気のなか、「教科書を背負い、独楽をポケットに入れ」、リュクサンブール公園の通りを元気に走る少年だ。ぴょんぴょんと跳ぶ足もとには初秋の落ち葉が散っている…。「少年は八時前に、この美しい公園を通りぬけて学校へと向かった。少し緊張していた。新学年のはじまりだった」

子ども時代にアナトール・フランスが通った学校は、ジュール・フェリーの法律が適用される以前の、第二帝政時代の学校だった。小学校は、第三共和政［一八七〇―一九四〇］のずっと前から存在していたことは強調しておきたい。男児用の小学校設立を定めたギゾ法（一八三三年）や、女児用の小学校を導入したデュルイ法（一八六七年）よりもかなり前からあったのだ…。アナトールが少年だったころの小学校はまだ、わたしたちが考えるような昔の小学校——校庭では菩提樹が影を作り、教室の壁には洋服かけがとりつけられ、インク壺を置くためのくぼみがある机が何列にもならんでいる——とは違っていた。紫色のインクやチョークの粉から立ちのぼるにおいに満ち、昼の弁当を温めるのにも使われる薪ストーブ、太い線と細い線による丸みをおびた美しい書体で格言が記された黒板がお定まり、という不朽の学校モデルが確立するのはもう少しあとの話である。

誠実で信頼にたり、市民としての責任感もある労働者を大量生産する、と決めたジュール・フェリーにとって、「今日の格言」をとおして小学生たちを教導することはきわめて重要であった！　普仏戦争がすべての状況をひっくり返す前だった一八七〇年四月——フェリーはこの年の九月、プロイセン軍に攻囲された首都の市長となる——、モリエール劇場での集会において次のように宣言していた。「わたしは自分に誓った。現代が必要とするあらゆることから、あらゆる課題から、わたしは一つを選びとった。自分の知性、魂、心、肉体的および精神的力のすべてを、これに捧げるつもりだ。その課題とは、国民教育である」。頬髭（ほおひげ）をたくわえた峻厳（しゅんげん）な顔つきのフェリーが、大ブルジョワという出自にもかかわらず左派であることにまちがいはないが、当時の政界勢力図では社会主義者というよりも保守派に近い位置づけであり、偉大な国家フランスが繁栄を続けるために必要な、共和政の理念にしたがった学校制度を確立することにキャリアの大半を捧げることになる。

共和政の基盤が整ってまだ日が浅い一八七九年、大量の小学校教員の養成を使命とする師範学校が県ごとに設立された。何世紀ものあいだ実質的に教育を独占的に担ってきた聖職者の牙城を切りくずすためだった。次に、教育の無償化を宣言する一八八一年六月一六日付け基本法、教育義務化と共和国の学校からの宗教排除［学校の世俗化」を定める一八八二年三月二八日付け法律を議会にかけて採択させた。学校教育の義務化により、急ピッチでの学校建設が必要となった。「歴史のムーサは／歴史ある国土の上に何千もの／小学生のための真っ白な宮殿が／出現するのをまのあたりにした」（ジャン・シカール）

シャンソン『パピヨン高校』（ジョルジウス作詞、一九三六年）の抜粋

ラベリュール君はいるかな？　…は～い、ぼくです！

君はフランス史で最優秀だそうだね？

それなら、ウェルキンゲトリクスについて話してくれたまえ。

どのような生涯を送ったのかな？　亡くなった状況は？　いつ生まれたのかな？

ちゃんと答えたら…一〇点を進ぜよう。

視学官殿、

ぼくは、そういったことの全部を暗記しています。

ウェルキンゲトリクスはルイ＝フィリップ時代に生まれ、

ある夜のこと、ロンスヴォーで中国軍を打ち負かしました。
ブリーフを流行(はや)らせたのは彼です。
そのために処刑台の上で死にました。
ふむふむ、視点が斬新だな、
よくやった、君には九点をやろう!

(くりかえし)
ぼくらはばかじゃない
ぼくらは教育だって受けているんだぞ
パパ高校で

パピ高校で

パピヨン高校で

[ウェルキンゲトリクスは紀元前一世紀、いまのフランスに相当するガリア地方の英雄。ローマの支配に対して立ち上がったが、カエサルが指揮するローマ軍団に敗れた。ロンスヴォーはピレネー山中の地名。七七八年に、フランク王国軍とバスク軍がここで戦ったことで有名]

ジュール・フェリーの信条をもっとも雄弁に語っているのが、一八八八年一月に書かれた、瞠目(どうもく)に値する「男女教員への手紙」である。「諸君に託された子どもたちは、文字を書いたり読解したりするだけでなく、街角の看板を読んだり、足し算や掛け算もできるようになるべきだ。彼らはフランス人であるから、フランスという国、その地理と歴史、その体と魂を知る必要がある。彼らは将来の市民であるから、自由な民主主義とはどのようなものであり、国の主権がどのような自由を彼らにあたえ、どのような義務を彼らに課しているのかを学ばねばならない。また、彼らはやがて大人になるので、人間とはどういったものかを理解し、わたしたち人間の貧窮の根本的原因がさまざまな形をとるエゴイズムであること、わたしたち人間を偉大なものとしている原則が妥協の拒否と思いやりの結合であることを知る必要がある」

以上の抜粋を筆頭に、この手紙のいくつもの個所からは、フェリーがいかに崇高な倫理的使命——世の中をよりよいものとする——を教育に託していたかが読みとれる。一三〇年後のいま、この手紙を一言一句変えることなく、ふたたび回覧させることが無意味とはいえまい…

初等教育終了証書の普及

一八八一年、初等教育を終えた者の数は九万一〇〇〇であり、これは同年齢の約一五パーセントが小学校を卒業したことを意味する。一〇年後、この数は一七万五〇〇〇に跳ね上がった。おおざっぱにいって、これは一九二〇年代と変わらない数字である。三〇万の壁が突破されるのは一九三〇年代であり、同年齢の約半分が小学校を卒業したことになる。一九六二年には、四七万三〇〇〇という大記録がうちたてられる。たった一世代で、初等教育終了証書を獲得した者の数は飛躍的に伸びた。すなわち、一八八〇年から一九〇七年までのあいだ、小学校に通った六〇〇万人のうち四七〇万人にこの証書が手渡されたのである。

アナトール・フランスから一世代以上もあと、ジョルジュ・デュアメルも自著『パスキエ家の記録』のなかで、パリにおける新学年のはじまりを描いている。時代は一八九〇年代なかばである。「校庭は子どもたちでいっぱいであり、彼らが発する叫び声が、学校についても、学校のしきたりについても知らなかったぼくの耳をつんざいた」と述べる語り手は、はじめての学校でとまどうばかりだったが、がっちりした体格のデジレという少年が案内役をつとめてくれた。デジレは、ボネ・ダーヌ［直訳すると「驢馬の帽子」。驢馬の耳を思わせる二つの突起がついた帽子であり、昔のフランスの学校では騒がしい生徒や劣等生が見せしめのためにこれをかぶらせられた」

の常連となるべくして生まれてきた劣等生だった。「痩せこけた一人の少年がニヤニヤしながら近づいてきて、ぼくのベレー帽を奪い、逃げ出した。ぼくは途方にくれた。デジレはその場を動くことなく、おそろしげな大声をあげた。そして犬をよぶように〝こっちだよ、ガブラン、こっちだよ！〟と叫んだ。やせっぽちは戻ってきて、ほぼ這いつくばるかのように服従の姿勢をとり、平手打ちをくらわないために用心しいしいベレー帽を差し出した。デジレは〝あっちに行け！〟と叱りとばした（…）。それから彼はぼくたちを白い顎鬚をたくわえた大男のところにつれていき、軍隊式の敬礼をした後、ぼくたちを紹介した。〝校長先生、パスキエ家の子どもたちです〟と言って。それを聞くと校長先生は錫のホイッスルを髭におおわれた唇に差しこみ、両頬をふくらませて吹いた」

都会の子どもを面白がらせる校長先生の髭は、田舎ではコミカルそのものとなることもあった。村の学校には独特の野趣があるうえ、都会の洗練とは無縁の、丈の短いコートとドタ靴で通学する野生児たちが、さらなる味わいをそえていた…。こうした地方の公立学校の雰囲気を知るには、たとえば、ルイ・ペルゴーの小説『ボタン戦争』［いがみあう二つの村の少年たちはけんかばかり。負けると服のボタンを奪われ、帰宅して親に叱られる。ついには素っ裸でけんかするようになる…］を読むとよい。自身が元教員であり、父親も教員であった作者ペルゴーは副題において、物語の時代を一八九四年に設定している。すなわち、ジュール・フェリーが二〇年前に模索した「無償、世俗的、就学は義務」の学校が大輪の花を咲かせていた時代である。

この頃、小学校の先生は司祭とともに――ときとしては公証人や薬剤師もこれにくわわった――村の名士であった。ここでは、シャルル・ペギー［一八七三―一九一四、詩人、劇作家、思想家。乳児の頃に家具職人だった父を亡くし、椅子に詰めものをする女職人だった母に育てられる。決して豊かでない家庭の育ちだが成績優秀だったために奨学金を得てパリのエコール・ノルマル・シュペリウールを卒業する。ブルジョワ出身者ばかりのフランス文学界にあって、貧しい階級出身はこのペギーとカミュだけといえる。社会主義に傾倒するが、最後にはカトリック信仰に回帰する］の有名な証言を引用せざるをえない。「わたしたちの小学校の教員たちは、黒い軽騎兵のように颯（りゅう）としていた。ほっそりとしていた。いかめしかった。服が体にぴったりと合っていた。生真面目で、若くして急に絶対的権力を手に入れたことに少しおびえていた。長ズボンは黒だったが、紫色のトリミングつきだったと思う。紫は司教の色であるだけでなく、小学校教員の色でもあった。黒いチョッキ。丈が長く、裾はまっすぐにたれているフロックコートの色も黒だったが、襟には交錯する二枚の棕櫚（しゅろ）を象（かたど）った紫色の教育功労賞の勲章が二つ。平べったいキャスケットも黒だったが、額の真上には紫色の教育功労賞の勲章が一つ。この文官のユニフォームは一種の軍服であったが、軍服よりもいかめしく軍隊風だった。公民の制服であるゆえに」

　数段落をはさみ、ペギーは以下のようにつけくわえ、一九世紀末の子どもたちにあたえられた教育が宗教を完全に排斥したものではなかったことを伝えている。

「わたしたちは、非宗教的な教員が語ることすべても、カトリックの教員が語ることすべても真剣に受けとめた。わたしたちは、すべてを文字どおりに受けとめていた。わたしたちは文法を学び、同時に、同じようにカテキズム［カトリックの公教要理］も学んだ。わたしたちは文法を知っていたが、同時に、同じようにカテキズムも知っていた。わたしたちはどちらも忘れなかった」。一九一三年、以上の文章がふくまれるエッセー『金銭』――ジュール・ヴァレスとエミール・ゾラにも同じ題名の著作があることを意識して選んだタイトルである――をペギーが著わしたとき、ジュール・フェリーが亡くなってからすでに二〇年がたっていた。第一次世界大戦が起こる前兆も知らずに亡くなったのは、教育によってよりよい世界を築くことを夢見ていたフェリーにとって幸いだったといえよう。なお、ペギーは翌年に戦死する。

フェリーの功績はいわれるほど大きいのだろうか？

フィリップ・ギロームは自著のフェリー伝（一九八〇年）のなかで、彼の功績を過大評価することを戒めている。

「きわめて重要であるにしても、フェリーの教育事業は人々が長年考えていたほどは重要ではない。フランソワ・フュレの研究がこの点を明白にしている。いわく、〝ジュール・フェリーがフランス革命から一世後に、ジャコバン派が夢見ていた、共和制の理念にもとづく学校制度――非宗教的、無償、就学が義務――を導入したとき、フランス国民の識字率はすでにほぼ一〇〇パーセントであった〟。すなわち、ジュール・フェリー法成立に先立つ二――三世紀のあいだ、フランス国民は共同体単位で自分たちの学校を設立し、運営し、経費をまかなっていたのだ。フェリーはそうとは知らず、そして知ろうともせずに、この歴史的蓄積の恩恵を受けたのである。

さらに問題だと思われるのは、認可されなかった宗教団体を根こそぎ教育現場から追放することにフェリーが固執した点である。第三共和政の初期に反聖職者闘争に過度なエネルギーが投入され、フランス国民の生活をすくなくとも同程度に左右するほかの数多くの課題がないがしろにされた責任の一端は、宗教団体を執拗に排斥しようとしたフェリーにある」

15

ヴェルサイユ、和平の幻想

一〇〇年後となったいま、有名なヴェルサイユ条約は、第一次世界大戦から第二次世界大戦へと続くレールを直接、間接に敷いたことになる破滅的欠陥をいくつもかかえていたゆえに、期待を裏切った大失敗とみなされている。だが、当時はそのように受けとめられていなかった。それどころ、勝者たちは、自分たちの傷口を癒してくれる良薬だと思っていた。戦勝国の栄誉をたたえるシナリオにしたがって署名がおこなわれた現場をふりかえってみよう。実際のところ、このシナリオは勝者の名誉を高めるものではなかった。

一九一九年六月二八日（土曜）は、だれもが前もって歴史にきざまれることになるとわかっていた、という数少ない日の一つであった。ヴェルサイユでは、ルイ一四世の栄光をたたえるために設計された大歩廊（グランド・ギャルリ）――「鏡の間」の名称で世界中に知れわたっている――において、世界中から駆けつけた全権大使たちが、人類がそれまでに経験したことのないほど悲惨な紛争を終結させる条約に、一五時きっかりに署名することになっていた。一九一四年夏にはじまって一九一八年秋に戦闘が停止した第一次世界大戦は、約一〇〇〇万人の兵士の死、約九〇〇〇万人の民間人の死をまねいた。さらに、数えきれぬほどの人々が、体や心に深い傷を負った。以上の数字は、この大惨事の規模がいかなるものであったかを雄弁に物語っている。

雨模様の気分が晴れない数日をへて、この日は天の配剤か、まばゆい陽光がさんさんと降りそそぎ、和平を固める儀式に願ってもいない輝きをそえた。ゆえに、有名なこの王城は大規模なイベントが行なわれる日ならではのにぎわいをみせていた…。午には、内外の高官の大群が宮殿の階段につめかけ、控えの間を通りぬけ、一直線にならぶ続きの間をへて、この日のために準備が整えられた鏡の間に到達した。端と端を縫いあわせた二四枚の特大のサヴォンヌリー工房製絨毯が、ワックスがけで艶出しされた床の上に敷きつめられていた。中央には蹄鉄形の巨大なテーブルが一台置かれ、これよりやや引っこんだ位置に、第二序列の外国代表団のためのテーブルが配されていた。肘かけのない金色の椅子二〇〇脚が一直線にならんでいた。中央の椅子の列に面して置かれていたのは、ヴェルサイユの家具コレクションのなかから選ばれた、ルイ一五世時代のクレサン［彫刻家、高級家具職人］作と伝えられる書きもの机であった。染み一つない革張りテーブルトップの上には、まだだれひとり署名していない、分厚い条約書がのっていた。

なぜヴェルサイユ宮殿が選ばれたのだろう、といぶかる者もあろう。ほんとうのことをいって、多くの者が今かいまかと待ち望んでいたこの調印を、ヴェルサイユでおこなうことをためらう者はほぼ皆無だった。一九一四年に戦争が勃発するや否や、ヴェテルレ師——ドイツに組み入れられていたアルザスの聖職者で政治家。戦争がはじまるとすぐにフランス側についた——は、ドイツ帝国を打ち負かしたあかつきには、ヴェルサイユで講和調印式を行なうべきだ、と主張した。普仏戦争の結果、一八七一年一月に鏡の間でドイツ帝国樹立が宣言された、という屈辱をそそぐためだ。六月二八日が選ばれたのは、ちょうど五年前のこの日にサラエボ事件が起きたからだ。場所にも日付けにも、勝者、とくにフランスの意図が反映されていたのだ。

この日の午後、大理石の階段――王妃の階段――の下、宮殿中庭に面した三つの窓の一つの前に一人の男がすっくと立ち、おちつかぬ気持ちを悟られまいとしていた。五九歳のピエール・ド・ノラクは立ち居ふるまいがいかにも貴族的な高級官僚であった。彼は、高位の人々とのつきあいに慣れていた。二五年以上も前から、ヴェルサイユ博物館主任学芸員という、儀典長的な色あいの濃い役職についていたからだ。政府がこの日の重要賓客を迎える任務を、経験豊かな彼に託したのは当然の流れだった。いまや、時刻は一四時きっかりであった。事前に通告されていたとおり、ジョルジュ・クレマンソーを乗せた自動車が、上部がエレガントなアーチを描く窓の前に到着した。クレマンソー首相は、ただちに車から降りて姿を現わした。これからはじまる調印式の重要性ゆえに、その物腰にはある種のぎこちなさがあるものの、晴れ晴れとして若返ったように見えた。あいさつがかわされ、このような場合にお決まりの言葉のやりとりがあり、ていねいな言葉づかいで指示が出された…

　クレマンソーがなかに入ると、取材を許可されたジャーナリストたちが「勝利の父」に、おもねるような質問をわれさきに投げかけた。彼らはやがて、アメリカ大統領のウッドロー・ウィルソン、イギリス首相のデイヴィッド・ロイド・ジョージ、イタリア首相のヴィットーリオ・エマヌエーレ・オルランドの取材を試み、その他の大勢の出席者のだれがカナダ、オーストラリア、南アフリカ、ニュージーランド、インド、日本、ギリシア、ポーランド、ユーゴスラヴィア、チェコスロヴァキア、ルーマニア、ポルトガル、アルゼンチン、ウルグアイ等々の代表なのかを見きわめようとつとめた。陽光がこのうえもなく美しく照らしている天井画の下、ピーチク、パーチクと陽気なおしゃべり――重大な瞬間がまもなく訪れるという期待で高揚している集団ならではの談笑――が鏡の間を満たしていた。そんななかで、つつしみ深い者たちは口をつぐみ、視線を上に向け、ル・ブランが描いた美しい絵を鑑賞していた。

いまのところ、まだ鏡の間に姿をみせていないのは、ヴェルサイユ市内の有名なホテルであるヴァテルとレゼルヴワールに分宿していた敗戦国ドイツの全権使節団だけだった。一行を出迎えるため、ピエール・ド・ノラクは「中庭」側を離れて「庭園」側へと向かった。そして、角の小部屋、いわゆる「マダム・ヴィクトワールの小部屋［マダムはこの場合、国王の娘に対する敬称。マダム・ヴィクトワールはルイ一五世の娘の一人」」に入った。この部屋は中央棟の北西の角にあたり、窓は池に面している。ド・ノラクの言葉を引用しよう。「先導されたドイツ代表団がほかにだれもいない庭をつっきり、やがて部屋のフランス窓の一つに姿を現わした。わたしたちは彼らを、フランス史を彩った人々の肖像画がほんの少し前からふたたび飾られている美しい部屋の数々を通りぬけて案内せねばならなかった。彼らはナティエの作品に囲まれた部屋で立ち止まり、関心があるふりをして絵に目をやった」

いつもだったら、ド・ノラクの洗練された会話や物腰は、張りつめた空気をやわらげることができた。しかし、このときは、そのようなことは望むべくもなかった。敗戦国の全権使節団に屈辱的な登場を果たしてもらうために、何日も前からすべてが計算ずみだった。連合国の国民がいだいていた怨念にみあった、恥辱をあたえねば、との思いがあった。ド・ノラクもこれはわかっていた。しかし、敗戦国の代表に対するこのあまりにも侮辱的な扱いに、胸が塞（ふた）がれる思いだった。ふたたび彼の言葉を引用しよう。「合図があったので、わたしはドイツ代表団の先頭に立って歩き出し、永遠に続くかと思われるほど数多くの広間を通り、共和国衛兵たちが格段に立って列をなしている大理石の階段までつれていった。衛兵たちはサーベルをぬき、友好国の代表たちに敬意を表したところだった。わたしは一生、忘れることがないだろう。わたしたちが接近していると承知したうえで［ドイツ全権代表団に聞かせるために］、わたしたちが広間から広間へと歩を進めるごとにくりかえし出されていた号令と、鞘におさめられるときのサーベルの音を。戦争は終わったというのに、ドイツ代表団はいまだに敵、敗者として扱われていた。わたしはヘルマン・

ミュラーの目に涙が浮かんだのを認めた。本人もこれを隠すことができなかった。わたしたちの姿が平和の広間のアーケードの下に現われると、ガヤガヤとした騒ぎは一瞬で鎮まった。ドイツ代表団は、あらかじめ定められた席までつれていかれ、儀式がはじまった」

史上もっとも有名な条約の一つであり、最終的にもたらされた結果に鑑みて史上最悪の条約の一つとよぶほかないヴェルサイユ条約――四一二ページという厚さであった！――の四四〇条を詳細にコメントするのは、ここにおける筆者の目的ではない。ただ、これだけは言っておこう。一九一九年一月一八日――ドイツ帝国樹立宣言記念日――より、戦勝国がパリに集まって講和会議が開催され、そのさまざまな審議会が第一次世界大戦後の世界の在り方を決定した。一世紀前のウィーン会議のように……

五月七日――ちょうど四年前のこの日に、イギリスの客船ルシタニア号がドイツ海軍に撃沈された――、旧王宮庭園に面した高級ホテル、トリアノンパレスにおいて、フランス首相クレマンソーは、いっさいの妥協を認めようとしない露骨な態度で、「あなた方は、われわれに講和を求めた。われわれは、あなた方に講和をあたえる用意がある。この文書を読めば、われわれがどのような条件を決定したのかがわかるであろう」と述べて条約案をドイツ全権使節団に手渡した。クレマンソーは短いスピーチを、以下の有無をいわせぬ言葉で結んだ。「口頭による交渉は行なわれない。指摘したい点があるならば、書面で提出せねばならない。そうした指摘は二週間以内に、英語およびフランス語でわれわれに届けられるものとする」。名著『ヴェルサイユ――一九一九年、いつわりの講和の記録』(プレス・ド・ラ・シテ社刊)のなかで、著者パトリック・ド・グムリーヌは以上を補足すべく、次のように記している。「歴史研究者ノヴァク[ポーランドの歴史研究者、ジャーナリスト]も引用しているが、あるドイツ人ジャーナリストによると、クレマンソーは少々躊躇(ちゅうちょ)したのちに、〝あなた方は戦争を強要した! われわれは、同じような攻撃を二度と起こさせないために、必要な措置をとるつもりだ!〟とつけくわえた。この発言を、ほかのジャーナリストはだれひとり伝えていないし、イギリスやアメリカの代表団による報告書にも見あたらない。批判的なコメントをよびこむことを避けるため、検閲がこの問題発言をなかったことにした可能性がある。真相は不明である」

ドイツは五月二九日に逆提案を提出したが、微細な妥協しか引き出せなかった。その後、ドイツは同盟国側から最後通牒を受けとり、六月一六日には最終文案を受諾することを余儀なくされた。この文案こそが、六月二八日にすべての国の代表団が署名するヴェルサイユ条約である。ドイツは国土の六万八〇〇〇平方キロを失った（そのうちには、アルザスとロレーヌもふくまれる）。東プロイセンは解体された。ドイツ陸軍の兵力は一〇万人規模までに縮小された。さらには、二〇〇億金マルクの賠償金を戦勝国に支払うことが求められた。一五時四五分、署名者全員がこの重々しい条約に印璽を押しあて終わったので、クレマンソーは寛大をよそおった声で次のように宣言した。「おのおの方、結束した同盟国側とドイツとのあいだの講和条件が調印されました。これにて閉会いたします。同盟国の全権代表団はこの場にお残りください」。すなわち、戦時中はもとより和平が訪れても、ドイツは邪魔者で仲間ではない、という意味だった。祝砲が鳴りひびくなか、ドイツの全権代表五名は可能なかぎり威厳を保とうとつとめつつ退出した…。宮殿の外では、南側のスイス衛兵池［池を作るために、スイス衛兵が地面を掘ったのでこのようによばれる］の方角から何機もの飛行機が姿を現わし、条約調印に敬意を表すべくヴェルサイユ宮殿の上を飛行した。

いまや、ヴェルサイユのすべての噴水が水しぶきを上げていた。宮殿庭園の鉄門が大きく開かれると、極度の興奮状態にある大群衆が雪崩を打っておしよせた。やがて、品位を保ちながらも外交儀礼は無視しての押しあいへしあいのなか、要人たちが宮殿の大テラスに姿を現わした。クレマンソー、ウィルソン、オルランド、ロイド・ジョージ…。前代未聞の歓声が上がった。ジャン・パストゥローは次のように記すことになる。「これらの国家元首たちは群衆と交流し、苦しみと死の時代の終焉を身をもって表現した。人々はカノティエ［全体が平らで縁も平らな帽子］、ソフト帽、ステッキを高くもちあげてふり、喜びを表現した。その後に訪れたのは狂騒の歳月であり、人々は失われた喜びの日々をとりもどそう、忘れようとした。仕事、色恋ざた、歓楽に没頭することで忘れようとした」

残念ながら、狂騒も歓楽も続かなかったことは皆が知ってのとおりだ。

付随する、その他の講和条約

一九一九年六月二八日には、ポーランド独立承認などを内容とする「小ヴェルサイユ条約」も調印された。

オーストリア＝ハンガリー帝国の運命は、サン＝ジャルマン＝アン＝レ条約（一九一九年九月一〇日／一二月九日）とトリアノン条約（一九二〇年六月四日）で決められた。

ブルガリアのゆくすえは、ヌイイ＝シュル＝セーヌ条約（一九一九年一一月二七日）で決定された。

オスマン帝国の命運に決着をつけたのは、セーヴル条約（一九二〇年八月一〇日）である。

郵便はがき

料金受取人払郵便

新宿局承認

6848

差出有効期限
2023年9月
30日まで

切手をはら
ずにお出し
下さい

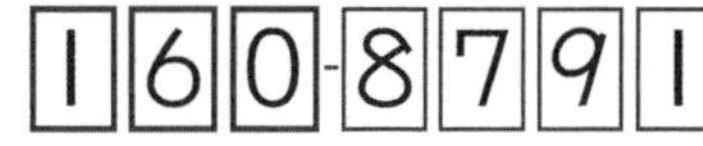

343

（受取人）
東京都新宿区
新宿一−二五−一三

原書房

読者係 行

1608791343　7

図書注文書（当社刊行物のご注文にご利用下さい）

書名	本体価格	申込数
		部
		部
		部

お名前　注文日　年　月　日

ご連絡先電話番号　□自　宅　（　　）
（必ずご記入ください）　□勤務先　（　　）

ご指定書店（地区　）　（お買つけの書店名をご記入下さい）　帳合

書店名　書店（　店）

7245

運命が変えた世界史　下

愛読者カード　フランク・フェラン 著

＊より良い出版の参考のために、以下のアンケートにご協力をお願いします。＊但し、今後あなたの個人情報（住所・氏名・電話・メールなど）を使って、原書房のご案内などを送って欲しくないという方は、右の□に×印を付けてください。　□

フリガナ
お名前　　男・女（　　歳）

ご住所　〒　　－

市　町
郡　村
TEL　（　　）
e-mail　@

ご職業　1会社員　2自営業　3公務員　4教育関係
5学生　6主婦　7その他（　　）

お買い求めのポイント
1テーマに興味があった　2内容がおもしろそうだった
3タイトル　4表紙デザイン　5著者　6帯の文句
7広告を見て（新聞名・雑誌名　　）
8書評を読んで（新聞名・雑誌名　　）
9その他（　　）

お好きな本のジャンル
1ミステリー・エンターテインメント
2その他の小説・エッセイ　3ノンフィクション
4人文・歴史　その他（5天声人語　6軍事　7　　）

ご購読新聞雑誌

本書への感想、また読んでみたい作家、テーマなどございましたらお聞かせください。

16

キャビアで財をなした ペトロシアン一族

パリにあるアルメニア系商店のなかでもっとも有名な店――非常に特異な食品に捧げられた神殿――が七区で営業をはじめたのは、一世紀以上も前のことだった…

レーニンとボリシェヴィキが存在しなければ、キャビアが一目でわかる富の象徴とはならなかった蓋然性は高い。富裕層が食事の席でもったいぶった手つきで少量ずつ賞味している珍味が、これほどありがたがられることはなかったかもしれないのだ。歴史のみがからくりを知っている例のパラドックスの一つにより、一九一七年のロシア革命は、大公をはじめとする富貴なロシア人たちを西欧に追いやることで、ベルリン、パリ、ロンドン、モナコのエレガントな夜会において大金持ちであると同時に美意識も高い人々がキャビア――ヘーゼルナッツの風味がある黒い粒（暗灰色や琥珀色のこともあり、ごくまれには白色）――を食するブームに間接的に火をつけたのだ。狂騒の歳月とよばれた一九二〇年代、コスモポリタンで華々しい上流階級は、第一次世界大戦当時の窮乏生活を早く忘れたいとの思いに駆られ、この新しい食べ物――めずらしくて、祝祭気分にぴったりで、おそろしく高い――にこぞって飛びついた。彼らは、氷で冷やしたクリスタルガラスの小さな鉢から、真珠母製の平たい小さなスプーンで黒い粒々をすくいとり、舌と上顎のあいだで慎重に潰し、強いアロマが放出されるのを楽しんだ…

いっぷう変わったことならなんでも大歓迎していたパリではじまったキャビア熱は、やがて世界中に広まった。その結果、チャールストン、ボンネット部分が長いブガッティ、ラリックのブローチとともに、キャビアは一九二〇年代の無頓着で金に糸目をつけない暮らしのシンボルとなった。パリでは、キャビアを目玉商品とする何軒かの高級食料品店が評判をよんでいた。一九二七年に開業したカスピア、一九二一年に誕生したプリュニエ、そして一九二〇年に先陣を切ったペトロシアンである。ペトロシアン一族はロシア人ではなくアルメニア人であり、キャビアに特化した彼らの第一号店は七区のラ・トゥール＝モブール大通りで呱々の声を上げた。メルクムとムシェグのペトロシアン兄弟は、グルジア［現ジョージア］のトビリシ出身であった。それぞれ、弁護士と建築家の資格をもっていた二人は、いっときは石油事業に身を投じていたが、アルメニア人迫害が起こると亡命せざるをえなくなった。パリにおちつくと、ほどなくして、大人気となっていたキャビアの買い付けと卸売りを専門とするようになった。そして、マロソルとよばれるキャビア——薄い塩分濃度で塩漬け処理されたキャビア——の第一のサプライヤーとして押しも押されもせぬ存在となった。

商売上手できわめつきの営業センスをもちあわせたペトロシアン兄弟は、話題を集めている人々が集まる席で自分たちのキャビアが供されるように仕向け、キャビアを「創造的で自由と人生を楽しむ時代の寵児たち」のイメージと結びつけることに成功した。二つの大戦にはさまれたこの時期、日の出の勢いの芸術家、大銀行家、将来を嘱望されている政治家にとって、さまざまな種類のキャビア（ベルーガ、オシェトラ…）の違いを理解し、それぞれの長所について一家言をもつことは必須となった。世慣れた人々の洒落た会話を独占するテーマはただ一つ…チョウザメという奇妙な大魚であった。

この魚が凡庸でないことは本当だ。ペトロシアンブランドの丸くて平べったい缶詰――やがてこの缶詰の色はターコイズとなる――に描かれている生物は、恐竜時代の生き残りであり、そのもっとも古い痕跡は三億年の昔にまでさかのぼる！ 長さが八メートルで、重さは一トンを超える個体もある、一〇〇年も生きることがある、といった話は、ペトロシアン兄弟が流したチョウザメ伝説の代表例であり、彼らの店の常連客たちはこうした話題でもちきりとなった。兄弟は、「キャビア通」になりたての客たちに、イギリス王家は一四世紀からチョウザメを「王家の魚」とよび、ロシア皇帝たちはペルシアのシャーに倣ってチョウザメの貴重な卵を帝室御用達の珍味とした、と説明した。

だが、ほんとうのところ、何世紀ものあいだ、キャビアが王侯貴族の食卓にならぶことはなかった。大昔からキャビアの存在は知られていたが、栄養価が高いために、とくに復活祭の前の肉断ちの期間に、貧乏人用とまではいわずとも、肉のつつましい代用品として食べられていた。一四三一年にブルゴーニュから聖地巡礼にでかけたベルトランドン・ド・ラ・ブロキエールは、小アジアで見聞きしたことを語るなかで「ほかに食べるものがあるときには、（キャビアを）口にするのはギリシア人だけである」と記している。その後、ガロンヌ川にチョウザメが大量に生息していることを知ったコルベールは、この魚の漁獲高を増やすための奨励策をとることにした。だが、ルイ一四世の食卓にキャビアを導入しようという動きはいっさいなかった。ロシアから亡命者がおしよせるずっと前の一九世紀、ヨーロッパ人にキャビアを再発見させたのはアメリカの漁師たちであった。新大陸の漁師たちが出入りする居酒屋が、たいへんに塩辛いキャビアを故意に出していたからだ。客が喉の渇きをおぼえ、多量の酒を消費することが狙いだった…

ゆえに、ペトロシアンの店がパリでオープンした当時は、ロシア宮廷からの大勢の亡命者の流入にともなってロシア文化に対する関心が高まったついでに、キャビアへの憧れが芽生えたばかりだった。頭が切れるペトロシアン兄弟は、いかにもアルメニア風の自分たちの名前［アルメニア人の苗字はほぼすべて、アンの音で終わる］を冠したブランドをうちたてるという秀逸なアイディアを実行した。当時は外国人に対する偏見が強かったので、非フランス人の商売人は自分たちの苗字をフランス風に改変するか、創立者の出自とは関係のない社名を採用していた。だがペトロシアン兄弟は自分たちの出自を隠そうとはしなかった。二人はアルメニア人であることを誇りに思っていたし、むしろ自分たちのエキゾティックな名前こそが強みになる、とふんだのだ。ラ・トゥール＝モブール通りの彼らの店では、アルメニア語、グルジア語、ロシア語、そしてむろんのことフランス語が飛びかっていた。

最良の調達元から最高品質のキャビアを仕入れる。これこそがペトロシアン兄弟の強い思いであった。ゆえに、ムシェグとラーザリ・マイロフの娘との結婚は、調達ルートの強化に役立った。マイロフ家は一八一五年よりカスピ海に面したバクーで、チョウザメの漁業権をもっていたのだ…。兄弟はまた、ソヴィエト政権と良好な関係を築こうと腐心した。在庫の補充が時としてむずかしかった裏には、キャビアの希少性を高めるために意図的にそのように仕組んだという事情もあるが、在庫消化も山あり谷ありであった。一九三〇年代の世界恐慌は、深刻な売上減少をもたらした。ペトロシアンは時世に対応し、提供商品の多様化に努め、スモークサーモンやタラバガニの販売量を増やした…。第二次世界大戦後、ソ連産キャビア――産地はウクライナ、カザフスタン、トゥルクメニスタン、アゼルバイジャン――は、一九三〇年代に設立されたフランスの会社、キャビア・ボルガが独占的に扱うようになる。このソ連産キャビアは一九七〇年代に入ると、イラン産キャビアとの競争にさらされる。イランのシャーの肝いりで、イラン産キャビアの販売に特化した商会がシャンゼリゼ地区に開業したことでわかるように。

当然ながら、メルクムとムシェグのペトロシアン兄弟の時代、キャビアは天然のチョウザメから採取されていた。しかしながら、早い時期から、すなわち二〇世紀なかばから、養殖がはじまった。一九九〇年代に入ると、ソ連崩壊による無秩序が密漁と密貿易の爆発的増加をもたらし、天然チョウザメの生息数に壊滅的打撃をあたえた。そして二〇〇九年になると、思いきった対応が必要とされ、欧州は天然チョウザメのキャビアの輸入を禁止した。

こうした困難をのりきる役目を担ったのは、ムシェグ・ペトロシアンの息子、アルメンであった。テクスチャーとアロマの両面で、以前の天然キャビアにできるかぎり近い養殖チョウザメ由来のキャビアを提供できるよう、アルメンは力をつくした。アルメンの息子たちも祖父がはじめた事業の継承発展に努め、フランスにとどまることなく、アメリカやオリエントの市場にも進出を果たした…。ラグジュアリー民主化――じつに矛盾に満ちた表現である――の現代、ペトロシアン一族はあえてエリート主義路線を固持し、自社のキャビアの品質と価格の低下を回避した。すなわち、ブランドの威光がかげることを阻止した。パリでもっとも高名なアルメニア系の老舗であるペトロシアンは、一族が一世紀前からはらってきた努力がいかなるものであったかを強く意識している。ゆえに、その著名なブランドの価値の源泉である卓越性と希少性を棄損(きそん)することなど問題外なのだ。

キャビアの名前

フランスで「キャビア（caviar）」という言葉がはじめて使われたのは、美食家でもあったフランソワ・ラブレーの著作『第四の書』のなかであった。当時、これは英単語であり、フランス語の語彙にはふくまれていなかった。語源をさかのぼるとペルシア語であり、トルコ語を経由して、ヴェネツィアでカヴィアーロ（caviaro）とよばれていたものが英語に導入されてcaviarとなった。ラブレーから二世紀後、『百科全書』はcaviari sckariの項目を立てたが、ロシアで商品化されている食べ物、とだけ説明している。当時は、キャビア熱はまだ西欧には到達していなかったのだ。

17

デシャネル事件——信じられない話

一九二〇年にフランス共和国大統領に選出されたポール・デシャネルについて、フランス国民が覚えているのは「大統領ともあろう者がパジャマ姿で汽車から転落した」という滑稽なエピソードだけである。ゆえに、嘲笑の対象となり、救いようのない愚か者との烙印を押されている。だが、ちょっと待ってほしい…

あなたが友人との集まりで、第三共和政（一八七〇―一九四〇）の大統領の名前をあげるとする。どちらも暗殺されたサディ・カルノとポール・ドゥメール以外なら、どの大統領でもかまわない。すると、真の意味での権力をもたされなかった当時の大統領たち――共和政の偽君主たち――の、肩書とは裏腹の実態を思い浮かべ、あなたの友人たちはあざけるような表情を浮かべることだろう…。そうなのだ。そもそもめったにあることではないが、マク＝マオン、ルーべ、ミルランの名が出てくると、だれもが「ああ、あれね」といわんばかりの態度で目配せし、ときには冷笑で口元が歪む…。ジュール・グレヴィ？　ああ、彼の娘婿は、義父の権限を利用して、金を積んだ者にレジオン・ドヌール勲章をあたえるようとりはからい、大儲けしたんだよね！　フェリックス・フォール？　エリゼ宮に愛人を招き入れ、房事の最中に死んだ大統領だよね！　ガストン・ドゥメルグ？　六〇歳すぎまで独身で、二度目の大統領任期が終わる直前に結婚したことで有名だね！　といった具合だ。あざけりをなんとかのがれることができるのはレイモン・ポワンカレぐらいだ。それも、主として、笑いごとではない第一次世界大戦のお陰といえる。ポワンカレの後継者といえば…。ポワンカレの後継者、ポール・デシャネルが話題となると、かならず笑いが起きる。文脈を無視して切りとられた発言、摩耗するまでくりかえし語られたアネクドート、当時の寄席芸人たちがことさらに面白おかしく語ったことによって地に落ちた評判。こうしたすべてが、デシャネルを頭のネジがゆるんだ権力者に仕立て上げてしまった。ただし、人畜無害な狂人である。長期にわたる重度の精神疾患によって一五世紀のフランスを破滅の淵まで追いやってしまったシャルル六世とは異なり、デシャネルの珍妙な放心状態はごく短期間しか続かなかったし、なにしろ滑稽であった。だが、そのために彼の大統領任期はたった七か月で終わってしまった！

ここまで語った以上、何が起こったのかをふりかえらねばなるまい。議会政治体制の原型とよぶべき第三共和政においては、行政府の権限は首相である評議会議長がにぎっていたので、共和国大統領は本質的に名誉職であったが、決して閑職ではなく、それどころか骨の折れる仕事であった。大統領は、ヴェルサイユ宮殿の南翼、建築家エドモン・ド・ジョリが設計した大きな半円形の議場に集まった上院と下院の議員たちによって選ばれた。大統領選出は、ある種の大式典であって、パリの上流階級が傍聴につめかけた。一九二〇年一月一七日の大統領選出は、特異な展開をみせた。第一次世界大戦に正式に終止符を打ったヴェルサイユ講和条約が締結されたばかりであり、だれもが「勝利の父」ジョルジュ・クレマンソーが圧倒的な得票で選出されるものと思っていた。だが、そうは問屋がおろさなかった。さまざまなグループが事前に申しあわせた結果、ポワンカレの忠臣であったポール・デシャネルが最終的に唯一の候補者としてかつぎ出され、第三共和政史上最多の票を得て圧勝した。「ティーグル（虎）」「クレマンソーのあだ名」にとってこれは手痛い屈辱であり、彼は、このときに受けた精神的打撃から立ちなおることなく生涯を終えることになる。

結果が公式発表されると、世間は幸運を手にした勝者の人物像を探りはじめた。デシャネルは第二帝政時代にブリュッセルで生まれた。ルイ・フィリップの王政を倒した一八四八年の二月革命に関与した父親は、ナポレオン三世によるクーデターによって国外追放された者の一人であった。すなわち、デシャネルは根っからの共和主義者であったのだ。優秀な官僚としてスタートした彼のキャリアは、一八七〇年の第二帝政崩壊後に生まれた共和政の定着と軌を一にしていた。二二歳でドゥルー県副知事になったのち、ほどなくして政界に打って出て、数十年間、ウール＝エ＝ロワール県選出議員として活躍した。ポワンカレに忠誠をつくし、筋をとおすところと如才なさをあわせもっていたことが幸いし、デシャネルは、パナマ運河疑獄、ドレフュス事件、政教分離等々の次々に襲いかかる政治危機を難なくのりきることができた。彼の伝記を著わしたティエリー・ビヤールが述べるように、デシャネルは目端（めはし）がきく政治家であり、傑出していた、といっても過言ではない。同時代人と比べて先進的であり、たとえば死刑制度に反対を唱えたし、ヴェルサイユ講和条約への疑義を表明する、という当時の世論を考えたら大胆すぎる行動にも出た…。しかも、二度も下院議長をつとめている。一回目は一八九八年から一九〇二年まで、二回目は一九一二年から一九二〇年――第一次世界大戦の全期間がふくまれる——である。同僚議員たちがエリゼ宮に送りこんだのは、下院議長だったのだ！共和国大統領という華々しい称号をあたえられたのは一九二〇年であるが、デシャネルはその二〇年以上前から、アカデミー・フランセーズ会員という、もう一つの栄誉ある称号を享受していたことを強調しておこう。ゆえに、デシャネルを愚鈍もしくは凡庸な人物とみなす者はとんでもないまちがいを犯している。

議会の諸派が一致団結してクレマンソーを排除したことは世論を驚かせたが、驚きがおさまると、新大統領がみずからの義務や使命を真剣に受けとめているらしいと知った多くの人は感銘を受けた。ポール・デシャネルは、自分の任期のあいだに、地に落ちた大統領のイメージにふたたび輝きをあたえ、その職務の重みを増し、大統領がもっと能動的に動けるようにしよう、と考えていた。また、大戦が国民に残した傷がどれほど深いか痛いほどわかっていたので、大統領の権限を活用して、民心を癒し、傷口をふさぐことにつとめるつもりだった。退役軍人をエリゼ宮に招待することも決めた。新大統領は就任後まもない三月、ジロンド県公式訪問のさいに、傷痍軍人――顔面に重度の損傷を負った数多い退役軍人の一人――の出迎えを受け、抱擁をかわした。デシャンの前任者、謹厳で君主然としていたポワンカレは、このように感情を吐露することがなかったので、思いがけない事態に側近たちはとまどった。

同じ地方巡行でボルドーに寄ったとき、デシャンはプロトコールの厳格な縛りをものともしない行動に出た。スピーチを途中でやりなおし、ガラディナーを短縮し、公式招待客たちから離れて庶民と握手し、大衆とふれあった。これらは、第五共和政の政治家ならあたりまえにやっていることだが、いまから一世紀前は周囲に驚きをあたえ、ときには眉をひそめさせた。毎日、予定外のことをしでかして側近たちをきりきり舞いさせる、制御不能なこの新大統領はいったいなにを考えているのだろう、と人々はいぶかった。エリゼ宮のエチケットを遵守することができず、国家上層部の仕組みを尊重する能力を欠いている、と思われた。この点が、上院と下院の廊下でのひそひそ話のタネとなったことは明らかだ。後年にド・ゴールが考案した言いまわしをもちいると、デシャネル氏はどうやら、「菊のお披露目をする」だけで満足するつもりは毛頭なかった［「菊のお披露目をする」は、ド・ゴールがはじめてもちいた表現。死者の記念碑に菊の花束を捧げて演説する、というイメージ。大統領の権限を強化したド・ゴールは、それまでのフランス大統領は一種の名誉職で、国家行事のお飾りにすぎなかった、との意味をこめてこの表現をもちいた」。

だが、そこには陥穽(かんせい)があった。新大統領は短期間のうちに、結局のところ、政治的に自分が動くことができる範囲はほぼゼロであり、国の営みにかかわる重要事項のどれをとっても、自分には発言権がない、と理解したばかりか、自分に求められている仕事は非人間的とよべるくらいに煩雑だ、と気づいた。引見、スピーチ、レセプション、落成式や開会式、数かぎりない公式訪問を次々にこなさねばならない。大戦で失われた時間をとりもどし、フランス国民に四年間のおぞましい戦争の日々を忘れさせねばならないだけに——一九二〇年を暗いものとしたスペイン風邪の大流行はいわずもがなである――、そうした公務の数は尋常でないほど多く、大統領のスケジュールは過密状態であった。しかも、政治思想家でもあったデシャネルは内心、自分がお飾りとなるだけのそうした行事は些末(さまつ)だと感じていた。

こうしたことすべては、老いを迎えていたデシャネルのうえに蓋のようにおおいかぶさった。彼は当初、陽気をよそおって倦怠感をみせまいとつとめたが、しだいにどのようにふるまえばよいのかもわからなくなってきた。時間がたつにつれ、大統領の失態が目につくようになり、心ここにあらずというようすをみせたり、思わず不用意な言葉をもらしてしまったり…。そして、五月二三日――大統領選出から四か月そこそこであった――に、あのとんでもない事件が起きて、フランスだけでなく欧州全域に大笑いのタネを提供することになる。デシャネル氏は夕方、パリのリヨン駅で大統領専用列車に乗りこみ、モンブリゾンに向かった。名誉の戦死をとげたある上院議員をたたえる記念碑の除幕式に出席する予定だった。前例のない失態が生じたのは真夜中の少し前であった。洗面所の扉だとかんちがいして線路に面した扉を開けた大統領は、空中に一歩をふみだし、走行中の汽車から転落した。幸いなことにけがはなかった。とはいえ、自分は枕木の上にいると気づいたときのデシャネルはパジャマ姿であり、踏切番の夫婦に助けを求めざるをえなかった。これは大統領の威厳をはなはだしくそこなう状況であった。ラドーという苗字のこの夫婦は、真夜中にどこからともなく姿を現わし、自分はフランス共和国大統領だと主張するパジャマ姿の老人の話をすぐには信じられなかった。ようやくのことで納得すると、しかるべき筋に電話したが、話を信じてもらうのにてまどった…

五月二四日、この話が広まると、だれもが自問した。大統領は正気を失ったのではないか、と。新聞雑誌がとりあげたこの事件を、寄席芸人たちは誇張し、改竄して客を笑わせた。いうまでもなく、ジャーナリストにしろ、寄席芸人にしろ、このように騒いだのはクレマンソーを崇拝しきっている連中であり、たんなる政治談合のお陰で大統領に選ばれたとみなされて世論に完全には受け入れられていなかったデシャネルに恥をかかせ、クレマンソーの仇を討つという意図があった。「ピジャメル」「フランス語でパジャマはピジャマとよばれる」とよばれて愚弄され、気力を失い、しだいに自信を失ったデシャネルは、事故から二日後の二五日、何事も起こらなかったかのように閣議を主宰したものの、失われた信用を回復することは不可能だ、と悟った。いまや、フランス大統領である自分がなにを語ろうとだれも真剣に受けとめない、これはフランスの信用にかかわる、と。

あれからというもの、大統領に謁見することになった者たちは、よからぬ期待に目を輝かせ、デシャネルが少しでも奇矯(ききょう)なところを示すのを待ち望んでいるかのようだった。大統領は軽い精神疾患をわずらっていて、ある法令に署名するときにナポレオンと記した、とまで噂された！　ある日のこと、外交使節団を素っ裸で迎えた、とも…。そういった現場に実際に立ち会ったという証言は皆無だし、それらしい記録も残っていないので、こうした噂話のもととなるエピソードがあったのかどうかは調べようもない。確かなのは、デシャネルは、はじめに意気ごんでいたように大統領の権威を高めるどころか、引き下げてしまったことだ。

ゆえに、すっかり嫌気をさし、ふさぎこんでしまったデシャネルは一九二〇年九月二一日、辞任に追いこまれた。デシャネルは精神のバランスをくずした、という説は本人の辞任後も語りつがれるが、その主たる発生源は、彼の政敵が自分たちの利益のために多少とも意識的に流した誹謗中傷だと思われる。前述のティエリー・ビヤールは、デシャネルの一時的錯乱は、過労と強いフラストレーションの結果だと思われる、と分析している。十中八九、医師がエルペノル症候群とよぶ症状があてはまる。大統領職から解放され、以前のように多くの人と接触をもつようになったデシャネルは、彼と話す機会をえた人全員の目に健全な精神の持ち主だと映った。ついこのあいだまで狂人扱いされていたというのに。デシャネルは一九二一年一月の選挙で、ウール＝エ＝ロワール県の上院議員に楽勝で選ばれた――残念ながら、翌年に思いがけず亡くなったために任期をまっとうすることはできなかったが。以上から、デシャネルの一夜の錯乱がまねいた大騒動をどのように理解すべきだろうか？　現代のわれわれは、ポール・デシャネルの事故は「燃えつき症候群」に起因していたのであって、必要以上に騒がれた、ということができる。だが一世紀前の人々は、デシャネルを狂人扱いし、辞任に追いこんだ…。となると、次のような疑問を呈する者がいてもおかしくない。あのような事件が起きた以上、ポール・デシャネルが公務で少々ストレスを溜めこんでいたことに違いはないが、辞任にまで追いこまれた裏には、クレマンソーが糸を引く究極の策謀があったのではないだろうか？

エルペノル症候群

エルペノルは、オデッセウスの部下の名前である。泥酔して魔女キルケーの神殿のテラスにのぼったが、目を覚ましたときに寝ぼけていたので転落して死んでしまった。本章の主人公であるデシャネル大統領は、医学の教科書のなかで、エルペノル症候群——別名は「睡眠酩酊」——の有名な患者の例として登場する。この症候群の特徴は、深い眠りから覚めたときの不完全な覚醒による精神の混乱である。一定時間続く時空間失見当識と、なかば自動的な反射的行動をひき起こすので危険な事故につながることがある。

18

一九四〇年一一月一一日、レジスタンスの意思表示

一九四〇年一一月一一日（月）、ドイツによる占領体制の締めつけにもかかわらず、数千人の大学生と高校生が凱旋門に結集するという大胆な行動に出た。彼らのうち約二〇〇名が逮捕された。ジャン・ゲエノにいわせると、若者たちのこの勇敢な行動は「レジスタンスの意思を公（おおやけ）にしたはじめての示威（じい）行為」であった。

ドイツが首都パリを占拠してすでに五か月がたっていた。直後に元帥に昇進するフォン・ボックが率いるドイツ軍が一九四〇年六月一四日にパリ入城を果たして以来、首都のいたるところで占領軍の存在はドイツ語とともに目につき、歴史的建造物からは鍵十字を描いた幕がたれさがり、四つ辻にはドイツ語の表示が設置され、好条件の建物はすべて接収された…。ヒトラーは、ドイツ軍兵士が礼儀正しくふるまい、現地民間人に好意的に接するように厳命していたものの、市民はこうしてパリがドイツ色に染められたことを耐えがたく感じていた。パリ市民は首根っこを押さえつけられているのも同然だった。戦闘をおそれて首都を脱出していた人々は次々と戻ってきたが、占拠に慣れることを余儀なくされ、服従を強いられ、飼い馴らされているという思いをいだいた…。占領軍が「礼節をわきまえている」と知ってうれしい驚きをおぼえた時期がすぎると、だれもが占領はやはり占領なのだという現実をつきつけられた。モーリス・シュヴァリエのヒット曲「パリはいつまでもパリ」［一九三九年］は、「暗闇におおわれてもパリは世界一の都であり、その輝きは鈍ることがない…」のリフレインで幻想をあたえようとしたが、「ローマのなかには、もはやローマは存在しない」［一七世紀の仏戯曲家コルネイユの芝居に出てくる登場人物、セルトリウスの台詞。セルトリウスは紀元前一世紀のローマの政治家。スッラが独裁政治を敷いているローマはもはやローマではない、と考え、ヒスパニアすなわちイベリア半島に第二のローマを築こうとした］にならうと、パリのなかには、もはやパリは存在していなかった…

学生運動に詳しいアラン・モンシャブロンは「二〇世紀」誌に掲載した論文のなかで、ヴィシー政権に提出された情報機関のレポートを引用している。このレポートは、一九四〇年秋のパリ市民の精神状態を「新聞雑誌の影響力はゼロ、イギリスを好感しドイツに反発する傾向の増大、政府の政策に対する無関心、日常生活にかんする不安」と説明している。軍隊に動員されなかった若者は、おとなしく占領軍に従おうとしない者たちの部類に属していたようだ。占領のごく初期から、多くの学生たちは、新たな支配者に対する反発を——無鉄砲に、自発的に——表明していた。ソルボンヌ学舎の廊下では、ロンドンからとどいたド・ゴール将軍のメッセージが話題となり、短期間のうちに好意的な反響をよんだと思われる。パリ大学区長のギュスターヴ・ルーシにとって、芽生えつつあるこうしたレジスタンスに賛同する気持ちを押し殺すことはむずかしかったが、授業の継続に横槍が入らぬよう、あらゆる手をうった。モントワール＝シュル＝ル＝ロワールにおけるペタンとヒトラーの会談が行なわれるほんの数日前にあたる一〇月二〇日、大学の新学年が、陰鬱な雰囲気のなかではじまった…

めだたぬように行動している情報提供者が、学生たちのあいだで不穏な動きが高まっていることを報告している。聴講生のなかに平服を着たドイツ軍将校三人がいることを理由に、医学生たちが階段教室からぞろぞろと立ち去る、という事件が起きた。学生に人気のあるカルティエ・ラタンのカフェが占領軍に対する挑発の拠点となる危険が高まり、やがて閉鎖が命じられた。いくつかの映画館も同じように閉鎖された。ニュース映画の映写が、一部の若い観客によるブーイングという反応をひき起こしたためだ…。毎週のように、「暗闇につつまれたような状況下で、華々しさとは無縁」だが思いきった行動が数多くみられた。たとえば、万聖節には、多くのパリ市民が挑戦的な行動に出た。一一月一日に、二万人の市民が凱旋門を訪れて、無名戦士の墓に花束を捧げたのだ。

ビラ

以下にあげるのは、医学部のホールで発見された手書きのビラである。一一月の初頭から学生のあいだで隠密に流布していたデモ参加へのよびかけビラの好例である。

フランスの学生によびかける！
一一月一一日は君にとってあくまでも
国民の祭日［第一次世界大戦休戦記念日］である
抑圧的な当局の命令にもかかわらず、この日は国民が過去に思いをはせる日である
君はこの日、一つの講義にも出席してはならない

君は一七時三〇分に、無名戦士をたたえに行かねばならない
一九一八年一一月一一日は、大勝利の日であった
一九四〇年一一月一一日は、さらに大きな勝利の合図となる
すべての学生は、連帯している
フランスが存在しつづけるために！
この文面を写しとり、配布せよ！

こうした状況下では、一一月一一日が問題になることはわかりきっていた。占領軍は当然ながら、ドイツにとって屈辱的なこの日を回想する行動などいっさい認めるつもりがなかった。明確な指令が出された。この記念日には、いっさいの集会を

行なってはならない。学校や大学では、「フランスに命を捧げた戦死者」と記されたプレートへのひかえめな献花があってもよいが、生徒や学生が登校する前の朝の時間に行なうこと。だが、いろいろな情報をつきあわせてみると、エトワール広場の凱旋門を結集地とする一一日の学生デモの準備は七日からすでにはじまっていたことがわかる。こうした動員準備において、非合法ラジオ局による〝地下放送〟が果たした役割はどれほどのものだったのだろうか？　手書きビラや、口コミの役割は？　いずれにしても、一一日の早朝、初期レジスタンス運動のメンバー三人――人類博物館のネットワークに属していた――が、シャンゼリゼ近くに八年前に設置された、彫刻家コニェ作のクレマンソーの像に献花した。この花輪には、ド・ゴール将軍の名前が書かれた長さ一メートルの名刺風の作り物と、自由フランスのリボンがそえられていた！

この日最大のイベントが起きたのは午後であった。一六時頃、何百人もの若者がさまざまな方向から姿を現わし、凱旋門をめざした。一部の者はグループとしてまとまっていた。たとえば、ロレーヌの十字架の形をした巨大なフラワーアレンジメントをかついで、一団となってヴィクトル＝ユーゴー通りからやってきたジャンソン＝ド＝サイリ高校の生徒たちのように。生徒たちの一部が「ド・ゴール万歳！」と叫ぶと、見物人たちのあいだから「フランス万歳！」の声が返ってきた。マルセイエーズの歌声も聞こえてきた…。一七時前、フランスの警察が介入した。デモ参加者の大多数は蜘蛛の子をちらすように逃げさったが、二〇〇人ほどが逮捕され、ただちにル・シェルシュ＝ミディやラ・サンテに収監された。フレンヌ刑務所に送られた者もいた。

パリ大学区長のルーシはこのことの責任を問われて解任となり、ローマ史の専門家であるジェローム・カルコピーノが後任となった。カルコピーノは可能なかぎり時間を稼ぎ、おそろしい弾圧があったとの噂――イギリスに亡命したド・ゴール将軍が祖国解放のためにはじめた自由フランス運動の報道機関であるラジオ・ロンドルは、デモ参加者一一名が殺され、五〇〇人が強制収容所に送られた、と伝えた――を打ち消そうとつとめた。翌日の火曜日には、パリの高等教育機関がすべて閉鎖された（翌週以降、漸進的に再開される）。

高校生たちも大学生に負けないくらいに血気にはやっていた。カルコピーノはペタン元帥［ドイツの傀儡政権であるヴィシー政権の主席］に「わたしは一週間以上というもの、高校生たちの興奮を鎮めることができないのでは、と危惧しました」と書き送っている。シャンゼリゼは厳重警戒ゾーンとなり、その後も長いあいだ、予防的措置としての逮捕があいついだ。

非暴力的で、参加者数が多く、反ドイツを明確に打ち出し、しかも主体は若者というこのデモに、ドイツ政府はいうまでもなく、ヴィシー政権も無関心でいられなかった。パリの若者の一部が占領軍に対して反感をいだいていることを明白に示す出来事だった。レジスタンス神話の一つが誕生した。解放後、占領軍をおそれなかったこの集団的示威行為は、多少とも内容が一致している英雄譚として語り継がれた――同時に、論争の的ともなった。これを、自分たちの手柄だと主張する勢力もあった。デモ参加者のなかには、ナショナリストにはじまり共産主義者にいたるまで、政治的に強い主張をもっている若者が多かったことは確かだ。だが、基本的に、多くの者は組織的動員をかけられることなく自主的に参加したのであり、政治的な意図とは無縁で、純粋に愛国心に駆られて無名戦士の墓に集まることを決意した、というのが真実である。

主として共産党シンパたちがさかんに唱えた一種の共産党聖人伝――筆者もかつては、ほんとうだと思いこむまちがいを犯した――によると、キューリー夫妻の有名な弟子で、コレージュ・ド・フランスで一般・実験物理学の講座を受けもっていたポール・ランジュヴァン教授が同月の八日に逮捕されたことが、一九四〇年一一月一一日のデモの発端である。ちなみに、ランジュヴァン教授は共産党支持者であったものの、一九三九年の独ソ不可侵条約を批判している［この条約が調印されて以来、モスクワの指令を受けた欧州各国の共産党は同条約を支持し、ナチ・ドイツ批判をピタリとやめた］。逮捕された教授を助けようとする支援委員会のよびかけには、「冷静を保つように。弾圧に口実をあたえてはならない」との文言がふくまれている。しかし、アラン・モンシャブロンが明らかにしたように、凱旋門に結集する学生デモを行なうというアイディアは、教授逮捕の前にすでに芽生えていた。逮捕の三日前にあたる一一月五日に記された計画案文書が残っている。したがって、凱旋門に集まった若者のなかに、ランジュヴァン教授逮捕に抗議する者が少なからずいたことはまちがいないにしても、彼らが動員のきっかけを作ったわけではなさそうだ。

すべてを勘案すると、皮肉なことに、占領軍とこれに協力する当局、とくに首都圏の教育を管轄するパリ大学区が、一一月一一日に制御不能な動きがあるのを心配してあれこれ手をうったことが、むしろ、これほど多くの若者が一斉に立ち上がる原因となったようだ。パリ大学区長のルーシやその他数名の責任者が示威行為禁止令を何度も出したことの裏には、母国の敗北で無力感をおぼえていた若者たちの反抗心に火を点けるという目的があったのかもしれない。そう考えてもおかしくはない。

翌年以降の一一月一一日

その後の三年間、フランス全土において、とくにパリでは、一一月一一日のセレモニーは全面的に禁止された。不穏な動きを未然に抑えるための強力な措置が講じられた。なかでも厳重な監視対象となったのは学生たちであった。この日をふたたび祝うためには、一九四四年のフランス解放まで待たなければならなかった。この年、一九一八年の休戦協定二六周年を祝い、ド・ゴール将軍とウィンストン・チャーチルが率いる英仏軍による大規模な合同パレードがシャンゼリゼで行なわれた。とはいえ、一九四三年一一月一一日、アン県とオー・ジュラ県の対独レジスタンス運動がオヨナで二〇〇名ほどを動員してデモを行なっている。これはおそろしい弾圧の対象となったが、無視できない歴史的役割を果たした。ドイツによる弾圧が苛烈で、犠牲者たちが抵抗しようにもあまりにも無力だったために、フランスのレジスタンス運動にこれまで以上に武器を提供する必要性を連合国側がついに認めたからだ。

19

ド・ゴールは入念に退陣を準備する

ド・ゴール将軍にとって一九六八年の五月危機は理解しがたいものだった。この試練にさらされた彼は、ふたたび立ちあがり采配をふることを決意する。だが、議会と国民投票が彼の思い描いた将来を用意することはなく、逆に意表をついた、ある意味では制裁に近い退陣をド・ゴールにせまったのだった。

一九六八年、「五月危機」による混乱の最中にド・ゴール将軍は五月二四日の談話でこう主張していた。「過去三〇年近くのあいだに何度か起こった重大な局面で、わたしは、国民の意思に反して他国がわが国の命運を差配するのを防ぎ、わが国がその命運をみずからの手でになうように導く課題を託されてきました。今回もま

た、できるかぎり努力します。しかし今回もまた、いえ、とりわけ今回は、フラン

スフランス国民がそれを望むと声を上げることが必要です。ところで、われわれの憲法はまさに、フランス国民がどうやったらそれを実現できるかを規定しています。もっとも直接的で考えうるもっとも民主的な方法、それが国民投票です。われわれが置かれている尋常ならざる現在の状況に鑑み、また政府からの提案も考慮して、わたしは一つの法案を国民の投票にゆだね、国民の信託によって国家と、なによりもその元首たるわたしにあたえられる改革の任務を遂行しようと決意しました」

だが彼はなにを改革しようとしたのか？「ド・ゴールは当時、フランスをゆるがせ解体に向かわせた社会の騒乱を理解していなかったようだ」と指摘するのはジャック・サンタマリアとパトリス・デュアメルである。ド・ゴールのひどく動揺

したような印象がさらに深まったのは、世論はまだほとんど気づいていなかったが、彼とジョルジュ・ポンピドゥー首相の二人に騒動に対する認識のずれが確実に存在したためだ。こうして、デモ隊、ストに参加する人々、学生らは、思いがけなく政権につくチャンスにめざめた野党の後押しもあり、ふたたびド・ゴールの退陣を要求した。コメントするまでもない明確なスローガンを掲げて。「一〇年で、もうたくさんだ」

たしかに、一九六八年のほとんど革命とよべるような社会運動が最後まで行きつくことはなかった。五月三〇日にはド・ゴール支持者による大規模デモ行進が学生や労働組合の動きを圧倒し、社会秩序は回復されたのである。歴史の断絶は修復された。「五月二四日の演説で国民投票に訴える意志を表明したド・ゴールだが、社会の混乱は一向におさまらなかった。追いつめられ、すべてを投げ出し辞任を考えたド・ゴールは五月二九日、一時的に行方をくらました。密かに西ドイツのバーデンバーデンに飛び、駐留フランス軍総司令官のマシュに会う。彼に慰留された将軍は翻意し、大統領の任務を続行する決意をもって、五月三〇日に改めて談話を発表、国民投票の提案を撤回し国民議会解散を宣言した」しかし、ここ数週間の大混乱で大統領の権威は完全に失墜し、将軍は現実を見すえ、自派の一部の大反対を押しきる形で、方針の変更を受け入れざるをえなかった。この時点でポンピドゥーはもはやド・ゴールを全面的に支えようとはしていなかったし、ド・ゴールも大統領辞任の考えをすててはいなかった…。ド・ゴールが危機をのりきった後はあきらかに意気消沈し、側近の一人に次のようにもらしていたことは軽視できない。「八〇歳を超えてまで大統領の仕事を続けようとは思わない。国家元首としてあまりに歳をとりすぎている。引退の日をいつにするのか、まだわからないが…。たぶん八〇歳の誕生日か、その後の元旦にでも…。それに、わたしには死ぬまでに回想録を書く時間が少し必要なのだ」。回想録の執筆など二の次と思われるだろうが、彼にとってはたいへん重要な動機となり、予想より早い退陣へとド・ゴールの背中を押したのだった。

たしかに、一九六八年六月二三日と三〇日に行なわれた国民議会総選挙において、ド・ゴール派は圧勝した。しかしド・ゴールは国民のいらだちがいかに大きいかを感じとった。新たな展開を構想しながら、同時に彼の器にふさわしい退陣の花道を考える必要があった。それが、ド・ゴールがずっと温めていた二つのテーマ——地方行政制度改革全般と、企業利益に従業員を「参加」させる政策（パルティシパシオン）――について問う国民投票だった。彼は当時、依然首相の座にいたポンピドゥーにたずねた。「わたしとともにパルティシパシオンに取り組む決心がついたか？」この質問に明白に答えなかったため、これまで信任があつかったポンピドゥーは、官邸を去ることになる！　首相は大統領を裏切ったのか？　将軍は、そう感じたかもしれない、ド・ゴール派の重鎮たちは首相の肩をもったけれども…

その時点で、ポンピドゥーだけでなくドゥブレその他数名が直接間接に、共和国大統領に国民投票を思いとどまるように懇願した。大統領本人もほんの一瞬、説得を受け入れたかに見えた。「後になって人は、ド・ゴールが引き下がったと言うだろう。それがどうだというのだ！　退却は恥ずべきことではない…」。だが最終的には、国民投票のプロセスが開始された。「ほかに選択肢はない。膿（うみ）を出しきるか、わたしが出ていくか、のどちらかだ」これがド・ゴールの出した結論だった。

一九六九年四月、国民投票の一週間前には、大統領は投票結果にほとんど幻想をいだいていなかった。四月二三日の水曜日、ド・ゴールは閣議を開いた。ポンピドゥーと交代して首相の座におさまったクーヴ・ド・ミュルヴィルと向きあい、アンドレ・マルロー文化相とミシェル・ドゥブレ外相にはさまれた席につくのもこれが最後だった。閣議の終わりにこう発言した。「一応、次の水曜日に閣議を開く予定にしておきましょう。来週、またここに集まれることを願っています。もしそれができないならば、そのときはフランスの歴史の一つの章が終わったときでしょう」。これがそれまで一〇年以上、良いときも悪いときもド・ゴールに従ってきた人たちへの、これ以上ない簡潔な別れの言葉となったのだった。

その夜、いつものように執務室でおもな閣僚と会っているとき、大統領は突然、アフリカ・マダガスカル担当相のジャック・フォカールによびかけた。「それで、みんなはなんと言っているかね？　この国民投票…負けは確実だが…」。だれかがとりなそうとするのをさえぎって「いいかね、われわれは負けたのだ。わたしにでたらめを言うんじゃない。お互いにバカなことを言いあうのはやめるんだ！」そして言葉を続けた。「日曜日の夜九時頃、すべてがはっきりしたらただちにやるべきことがある…」。それは、大統領個人にかかわる文書類をソルフェリーノ通りにある昔の事務所に移送すること、そしてそれ以外のすべてのすみやかな引越を準備することであった。「わたしがもう引退の段取りをしていることをだれにもさとられてはならない」と彼はつけくわえた。「そして、いいね、最後の演説を収録するときに、だれにも気づかれないように」。ジャーナリストのジャン・モーリアックは、AFP社長ジャン・マランが収集した情報にもとづき、大統領の最後の日々を記録した。そのモーリアックによれば、この晩、国家元首として最後にド・ゴールの頭にあったのは、アフリカへの思いだったようだ。「アフリカの人々に、わたしが最後までアフリカの問題を考えていたとわかってもらいたい。わたしが彼らを忘れていないことを知ってもらう必要があるのだ」

金曜日に最終談話を収録する前日、ド・ゴールは最後にもう一度ドゥブレを招いた。「フランス国民はもうわたしを欲していない」痛恨の思いでこうもらした。「だからわたしは立ち去るしかないのだ…」。この段階で、フランス国民の判断にゆだねられた質問が、大統領にとってたんなる別れのあいさつの口実にすぎなかったと考えるのはおそらくまちがっている。たしかに、地方行政制度改革とパルティシパシオンはド・ゴールにとっては最重要課題だったようだ。「国民投票で敗れても、わたしは将来、勝者となるだろう」と彼の個人秘書に打ち明けている。「わたしが関心をもつのは歴史的観点だけなのだが、その観点に立てば後世の人たちは、わたしが国家にとってきわめて重要な計画を提唱したゆえに倒されたと言うだろう」。半世紀が経過した今日、私たちは彼の炯眼に敬服するのみである。

四月二五日午前一一時、ド・ゴール将軍はエリゼ宮祝宴の間に設営されたスタジオで、テレビ放送用の最終談話の収録にのぞんだ。彼の高い職業意識とおとろえを知らない記憶力とは、視聴者たちに強い感銘をあたえたことだろう。だが、今回の演説には才気も、情熱も、確信に満ちた力強い調子さえもが欠けていた。モニターに映し出された録画映像が大統領に見せられた。ジャーナリストのフィリップ・アレグザンドルはこう記す。「ド・ゴールは若い広報担当閣外相のほうに向きなおり、彼の横の空いた席を指さすと、突然自信たっぷりに『さあ、ル・テュール君、わたしの隣に座りたまえ』とうながした。(…)試写が終わると皆は大統領の反応をじっとうかがった。撮りなおしの指示があるものと期待していた。だが、それはなかった。将軍は立ち上がり、録画の機器には背を向けて広報担当相に言った。『ル・テュール、万事休す、だ』。そして『将来のことは…』と言いかけたが、終わりまで言わなかった。足早にその場を離れ、録画技師たちに礼を言い、何人かと握手をして部屋を後にし、閣僚たちがその後を追った。直後に二階に降りるエレベーターで副官と二人だけになると『やめ方としてはこれでよいだろう…』と言った」

デュアメルとサンタマリアは大統領夫妻がエリゼ宮を去るときのようすを語った。「その日の午後、ド・ゴール大統領と夫人は銀の間を出た。ド・ゴールは銀の間を嫌っていたのでこれは意外な行動だったが、周囲が大統領の意図を理解するのはもっと後になってからだった。大統領専用車はいつもなら左の道路を通って庭園を横切る。そのほうが道路に出やすいからだが、この日は右の小路を通った。さらに大統領の指示でふだんのルーティンとは違う動きがあった。マリニー通りに通じる門のところで車がいったん停止したので、いつものように大統領に敬礼した宮殿の警備隊長のロラン大佐は非常に驚いた。ド・ゴールが窓ガラスを下げ、ロラン大佐が近づく。握手と心のこもったあいさつの言葉が交された」。黒塗りのシトロエンＤＳが庭園を去ると、雄鶏のゲートはすぐに閉ざされた…。「ロラン大佐は目に涙をためていた。彼は理解したのだった。いつもの習慣どおりでなく、ここで握手をされたということは…もう将軍は二度と戻ってこられないのだと」

その晩、コロンベの私邸に着くと、ド・ゴール将軍は家政婦にこう言ったことだろう。「今度ばかりはほんとうに帰ってきたのだよ」。ド・ゴールがまちがっていなかったことはいうまでもない。二七日の晩に判明した結果は決定的だった。すなわち一二〇〇万人、全体の五二・四パーセントが「ノン」に投票し、それに対して「ウィ」は一一〇〇万人にとどかなかった。賛成票が反対票を上まわった県はわずかにフランス本土の二五県にとどまった！　夜中の〇時一〇分をもって――歴史上の日付は一九六九年四月二八日より――ＡＦＰ通信が発表したコミュニケはすべての文章が一人称で語られた。「わたしは共和国大統領職の行使を停止する。この決定は本日正午をもって発効する」。こうして将軍は自身が早くも一九四六年の時点で、みずからの進退について記していた公約を実行に移したのである。「権力にかんしては、わたしは事態に見放される前に、いずれにせよみずから職を辞す覚悟ができている」

四月二八日月曜日、大統領を辞職して迎えた最初の日、副官のフランソワ・フロイックと義弟でパ＝ド＝カレー選出の代議士であるジャック・ヴァンドルーを除いて彼には来客もなかった。ド・ゴールはヴァンドルーに向かって「わたしは国のためにできることはすべてやりきった」と言った。「まったく後悔していない」。そしてフロイックには「結局このような引退となったことを不満には思っていない。なぜなら、あの時点でわたしにはどんな将来の見通しがあったというのか。大統領職にとどまったとしても、さまざまな困難は、歴史がわたしにあたえた役割を減じるだけだろうし、フランス国家のためになにもできずにわたしはただ消耗するだけだったろう」

大統領の交代にともなうこの時期について、作家のフィリップ・アレグザンドルがじつにうまく表現している。「将軍はなにもないところに戻った。一一年にわたって怒号が飛びかい雷鳴がとどろく日々をすごした後には、静寂と孤独と、鳥のさえずりや田舎暮らしを学びなおさねばならなかった。（…）ド・ゴールは腹の虫がおさまらない。あいつぐ裏切り行為が彼の失墜をまねいた。いつか、彼の最後の数週間に起こったできごとを、彼に仕組まれた「陰謀」を、真実をあらいざらい語るつもりだった。そうすればようやくフランス人の目を開かせることができるのだ。そしておそらく、神のお許しがあれば、将軍は報復の味をかみしめることができるだろうと思っていた」。だが、神はそれをお許しにならなかった。退陣から一八か月後、シャルル・ド・ゴールの命の火は消えた。ド・ゴールが自身の言葉で説明する機会は最後につづった『希望の回想』の数章と、天才アンドレ・マルローがド・ゴールとの対話をそのまま記して論議をよんだ『倒された樫の木』に表現された断章のみに限定されることとなった。

最後の旅行

五月一〇日、ド・ゴールは妻とともにアイルランドに到着し、母方の先祖、マクカルタン家の足跡をたどる旅に出た。ケリーの町でヘロン・コーヴといううめだたないホテルに逗留し、記者やカメラマンを避けていた。シャルルとイヴォンヌは定期的に教会でミサにあずかり、壮大で人気(ひとけ)のない風景のなかをたびたび散策した。おおむねフランソワ・フロイックが事前に日程を把握してまちがいのないようにしていた。とはいえ、二人のレポーターが海岸を歩くド・ゴール夫妻の写真を数枚撮ることは防げなかった…。アイルランドでド・ゴールは『希望の回想』の執筆にもあたった。フランスにようやく帰国したのは六月一九日、ひと月以上国を空けていたことになる。

翌年の六月、ド・ゴール夫妻はふたたび旅に出た。行き先はスペインで、フランコ総統と将軍は長時間、会談した。人生最後の旅となったこの歴訪で夫妻はサンティアゴ・デ・コンポステーラ聖堂、カスティーリャ地方のエル・エスコリアル修道院やセビーリャのカテドラル、グラナダ、そしてコルドバのモスクを訪問した。

20

彼らは月面を歩いた

いまから五〇年ほど前、ラジオやテレビを通じてあのできごとを同時体験した人たちは、人類史上初の快挙が全世界を震撼させたことを覚えている。そう、人類が月の土を踏んだ瞬間である！　太古の昔から、地球の衛星である月は、ほとんど太陽や星たちと同じくらい、手のとどかないところにある天体だと思われてきた。その不可能と思われた月への着陸が、突然可能になったのである…

シラノ・ド・ベルジュラックは［『月世界旅行記』で］それを夢見た。ジュール・ヴェルヌは［『月世界旅行』で］それを想像した。もっと身近なところではエルジェが［『タンタンの冒険――月世界探検』で］空想に形をあたえ、ビーカー教授が作った紅白の月ロケットにわたしたちは慣れ親しんできた…。そうやって、久しい昔から人はたしかにロケットの原理であるガス噴射の技術を活用してきた。しかし、ロケットが実際に活用されたのは二〇世紀のことで、ヒトラーが一九四四年、あのいまわしい報復兵器V1とV2ロケットをロンドンとアントウェルペンに向けて大量に発射したときからである。

第二次大戦時にフランスが解放されると、アメリカとソ連はそれぞれ節操もなく、ロケット開発にかかわったドイツ人技術者たちを競って雇用し、秘密裡に東西冷戦の任務につかせた。新たに超大国となった米ソ二強の熾烈な争いにおいて、宇宙の征服が勝敗の鍵をにぎる争点となったことを忘れてはならない。また、この宇宙開発競争が、なによりも政治面、軍事面でのレースだったのは当然だが、じつのところ、両国を月への一番乗りに駆りたてた真の動機――詩情とはほど遠い――だったことを認めよう。

月への競争では、ソ連勢がいきなり優位に立った。一九五七年一〇月、最初の人工衛星「スプートニク」の打ち上げ成功が発表されると、世界中の人たちが熱狂した。ソ連は早くもその翌月には、小動物であるメス犬の「ライカ」を打ち上げ、地球の周回軌道にのせた。ホワイトハウスはこのニュースに驚き、ひどく落胆した。すぐに対抗措置を打つ必要を感じたアイゼンハワー大統領は急遽会見し、国立施設内に研究体制を一本化して（将来のＮＡＳＡ［アメリカ航空宇宙局］）、アメリカの宇宙計画を加速することを発表した。

しかしなおもソ連はポイントを稼ぎつづけた。そして、みずからの優位をゆるぎないものにしようと、たたみかけるように成果を発表した。一九五九年一月、「ルナ1号」が地球の引力圏外に出た最初の物体となった。八か月後には「ルナ2号」が月に衝突し、世界中に衝撃が走った。一九六一年四月、ソ連はまたしても人類初となる、人間を宇宙に送るミッションをなしとげ、最初の宇宙飛行士ユーリイ・ガガーリンはアメリカの科学者にショックをあたえた。これには、着任したばかりのジョン・ケネディ大統領もみずから反撃に出る必要を感じた。彼らしく大風呂敷を広げ、一九六〇年代の終わりまでにアメリカが月に人間を送るという固い決意を表明した！　クレムリンは笑いをかみ殺していた…

だがソ連は事態を見誤っていた。アメリカ国内では大統領の挑戦が真剣に受けとめられたからだ。それまでに例を見ないほど巨額の資金が投入され、三〇万人を超える上級の技師と専門家が、ほとんど実行不可能と思われた目標に向かって一丸となって取り組むことになった。成果はほどなくあがりはじめた。まず一九六二年二月、アメリカ人で初となる宇宙飛行士、ジョン・グレンが地球を三周した。一九六五年末には、二機の「ジェミニ」宇宙船が互いに一メートル以内まで接近に成功、翌年の三月、「ジェミニ8号」が標的衛星「アジーナ」とドッキングした。そして、探査機「サーヴェイヤー」が月面への軟着陸に成功し、今度はアメリカが世界を驚かせることになった。

もっとも、同じ頃ソ連は「ルナ10号」をだれもが一番乗りをめざした月の周回軌道にのせることに成功し、一九六八年九月には探査機「ゾンド5号」を開発、月を周回させた後、無傷で地球に帰還をなしとげたのである。しかしどうやらこの時期は、アメリカ陣営に一日の長があったようだ。六〇年代の終わりがせまりつつあった当時、アポロ有人飛行計画に世界の注目が集っていた。はたしてケネディの公約どおりにアメリカ人が月まで行けるのか、いぶかる者も多かった。

ＮＡＳＡの前にたちはだかった難題は、月に人を送るだけではなく、その後彼らを地球に帰還させるまでの工程だった。計画当初から、精鋭を集めた技術陣はこの問題でつまずいた。大きな課題に挑戦するときに起こりがちなことだが、数多くの荒唐無稽なプロジェクトが次々に生まれた…。ある者は燃料タンクを月に送り、宇宙飛行士たちがロケットに復路の燃料を補給できるようにしたらどうかと言った…。実績もある一研究所は大真面目に、月に数名の人員を送りこみ、月面に巨大な物資保管庫を建て食糧を備蓄して、彼らの帰還手段を地上の技術者が発明するまで、何年も月でじっと待たせておくことを提案した。あきれた素人考えだった！実現可能なプロジェクトは三つにしぼられた。一つ目は直接に月と地球を往復させるプランで、ケネディ政権の強力な支持を得ていた。それには非常に強力なロケットの開発が前提となるが、建設と運用に巨額の費用を要し、なおかつ開発の大幅な遅れが見こまれた。ＮＡＳＡ内部では、Ｖ２号の生みの親として有名なドイツ人技師、ウェルナー・フォン・ブラウンが提案した、もう少し賢明なプランが支持された。「地球周回軌道でのランデヴー」方式である。第三の方式はさらにふみこんだもので、なんと「月周回軌道でのランデヴー」を主張した。技術的にすぐれ、経済的なうえに軽装備ですむのだが、いかんせん、操縦に離れ業を要求される。

なにしろ、いまだに地球軌道での操縦も経験していないのに、それをいきなり月の軌道で成功させようという大胆すぎるくわだてである…。当時NASAの研究所にいた四三歳の一介の技師、ジョン・フーボルトがこの案の採用を熱心に説いてまわらなかったなら、だれもがこの第三案を却下していただろう。この頑固な男は、皆からさんざん侮辱され孤立無援だったが、上層部を説得しひとりずつ味方につけていった。打ち上げ当初は三一〇〇トンもの重量がある宇宙船を切り離しながら段階的に軽量化をはかり、最終的にわずか五トンのカプセルにして地球に帰還させるという彼のアイディアを、さいごはドイツ人科学者フォン・ブラウンも受け入れたのだった。

フーボルトの説得が功を奏し、一九六二年一一月に採用されたのはこの「月周回軌道ランデヴー」案だった。技術者たちが輸送船内の機器の操作に習熟するまでに六回のミッションが必要だった。一九六七年一月、「アポロ1号」のミッションが悲劇にみまわれる。訓練中に、宇宙飛行士グリソム、ホワイト、チャフィーが司令船内で起こった火災により焼死した。しかしその災厄をのりこえて、アポロ計画は第八次ミッションから月を周回する軌道を飛んだ。「アポロ9号」は地球周回軌道上で月着陸船の操縦をテスト、そして「アポロ10号」ではそれを月の軌道上でおこなった！　これで「アポロ11号」にも希望がもてるとの見方が広がった。もっともどんなに楽観的に見てもその成功率は五〇パーセントを切るとみられていたが！

このミッションにいどむ「アポロ11号」の乗組員は三人とも一九三〇年生まれの錚々（そうそう）たる顔ぶれだった。マイケル・コリンズには最初から、自分が司令船「コロンビア」にひとりとどまり軌道を周回する役まわりであることがわかっており、フラストレーションが溜るこの大役をつとめるべく、訓練をこなした。彼の同僚であるエドウィン（バズ）・オルドリンとニール・アームストロングの二人はコリンズを残してカプセルを離れ、月面に着陸するモジュールのせまい空間にすべりこむことになる。

七月一六日、打ち上げ当日の朝、乗組員が朝食をとっていると、ＮＡＳＡの長官が激励に訪れたと告げられた。長官は彼らにのしかかる重圧を少しでもやわらげようと、万一ミッションがいかなる理由であろうと中断せざるをえなくなったときには、三人とも、次のミッションの要員にすることを確約した。これで、危険な賭けに出る必要がなくなった。

八時三二分、高さ一一一メートル、出力一億五五〇〇万馬力の「サターンＶ」ロケットの先端にとまる形で司令船「コロンビア」が発射された。打ち上げ基地の名前は発射の直前にケープカナヴェラルからケープケネディに改名されていた。六〇年代も残すところ一八か月という時期に、ＮＡＳＡは暗殺されたケネディ大統領の願いをかなえようとしていた。テキサス州ヒューストンの管制センターでは緊張が高まっていたが、ちょうど同時期にソ連の月探査機「ルナ15号」が月に向かって打ち上げられたことを知ると、ますますその場は緊迫した雰囲気につつまれた！　もちろん、ソ連側は彼らの意図をアメリカに説明して不安を鎮めようとしたが、彼らを信用してもいいのか、アメリカは疑心暗鬼になっていた［ルナ15号は無人で月の石を地球にもち帰る目標を立てていた］。

一九六九年七月一八日の金曜日、二三時に月探査船「イーグル」を搭載した司令船「コロンビア」は地球からの距離が三二万キロ、月からは六万二〇〇〇キロの位置に到達し、地球の引力圏から月の引力圏内へ移行した。巡航速度は時速四〇〇〇キロを超えた。七月一九日、一八時二二分に「コロンビア」は月の周回軌道に入った。翌二〇日の日曜日、「イーグル」は「コロンビア」から切り離された。コリンズがブレーキシューを締めると、オルドリンとアームストロングは未知の天体へと遠ざかっていった。一三時四六分、「イーグル」が月の裏側へ隠れて見えなくなった。無線のとどかない長い沈黙をへて、次に姿を現わしたとき、探査船は高度二五キロまで月に近づいていた。

月面着陸の操縦がはじまったとき、フランスではすでに日付が変わり、七月二一日の月曜日になっていた。月探査船に乗りこんだオルドリンとアームストロングの視線は計器類にそそがれていた。搭載された自動操縦装置の誘導だけで、静かの海に着陸するように設計されていた…はずだったが、高度一八三〇メートルで表示灯が黄色く点灯した。鋭い警告音は、機内のコンピュータにその処理能力を超えた過重な負荷がかかっていることを示していた。どうしよう？　目標まであと一歩というところで「アポロ11号」のミッションを中断すべきか？

ヒューストンはパニックにおちいった。NASAの幹部たちはわずか数秒のうちに、歴史がかかる重大な決定をくださなければならなかった。そこによばれて、息せききってかけつけたのは二五歳の管制官、スティーヴ・ベイルズだった。この若者は過去数週間にわたって「イーグル」のコンピュータ・プログラムを担当していた。その彼が、発射前のシミュレーションで一度、まったく同じ問題が起こったが、コンピュータは最後まで正常に作動したと証言した。責任者たちはお互いに視線を交し、あらためて彼を信頼しなおしたのだった。ミッションは続行された。

高度一〇〇〇メートルあまりの地点で、ふたたび警告音。オルドリンとアームストロングは青ざめ、張りつめていた。今度はヒューストンがなんと言ってくるか？　管制センターでは全員がスティーヴ・ベイルズの動きを固唾をのんで見守った。彼は軽くまばたきしてから、「続行します！」と宣言した。二人の宇宙飛行士は月面から四〇〇メートルまで降下した地点で気がかりな状況を確認することになった。というのは、現在彼らがいる地点が、本来予定されていた地点ではまったくなかったからだ。眼下に広がる月面は、シミュレーションで見慣れていた景色と異なっている。現実の状況はすべてシミュレーションとは違っていた。実際、彼らは着陸予定地点からかなり離れたところにいた。眼下に見える眺めに彼らはおじけづいた。大きく口を開けたクレーターをとり囲むように巨大な岩石がつらなり、そこをめがけて探査船はまっしぐらに降下していく。

アームストロングはその時一世一代の賭けに出た。操縦を手動に切り替えたのだ。自動操縦くそくらえ、ここからは自分で操縦桿をにぎろうと。ところが、次々に現われる岩場をやりすごすうちに、燃料の残り時間の表示が九〇秒を切った。四〇秒、三〇…。アームストロングはいくぶんなだらかな場所を見つけ、そこへ探査船を誘導した。警告灯がオレンジ色に点滅をはじめた。いよいよ燃料がつきたか？　オルドリンは目を閉じて祈った。世界中の人たちも祈った。その時突然、警告灯の色が青に変わった。「イーグル」が月面にまさに着陸した瞬間だった。ミッションは成功した！

パリ時間の三時五二分。くじ引きでアームストロングが先に宇宙船を出ることが決まっていた。彼はたいへん短いはしごの踏み段をゆっくり、とてもゆっくりと降り、月面に飛び降りた。三時五六分。遠く離れた地球では、六億人の地球人がテレビの画面に見入っていた。アームストロングはあらかじめニクソン大統領と打ちあわせて暗記していたフレーズを、ここで発した。「これは人間にとっては小さな一歩だが、人類にとっては大きな跳躍である」

バズ・オルドリンも降りてきて、アームストロングといっしょになった。二人は月の重力が地球より小さいために、体重が一五キロしかないのをおもしろがっていた。実験と採取に必要な機材を降ろしながら、アームストロングは探査船内部の隔壁に、技師たちが掟を破ってひそかによせてくれたメッセージを見つけた。「幸運を祈る、ニールとバズへ、点検チーム全員より」

二人はアメリカの国旗をつかみ、いましも月面に立てようとしていた。だが、星条旗の横には一枚のプレートが置かれ、彼らが「平和のうちに、人類全体の代表として」月面まで来たことが記されていた。

映像がひき起こした論争

NASAのなしとげた偉業は、だがその直後から、アポロ11号の月探査ミッションがはたして現実に実行されたのか、さまざまな噂を生んできた。さらに、一九六九年以来、アメリカ政府や関係機関がメディアに提供してきた映像や写真の真偽についても物議をかもしてきた。月面に立てた国旗が、月には大気がないのに風になびいているような印象をあたえること、ほとんどの物体が影になっているのに、ある被写体だけに過剰な照明があたっていることを指摘する者がいた。さらに、着地した「イーグル」の脚部にほこりがついていないこと、宇宙飛行士が飛んでみせた月面ジャンプがあまりにも高かったこと、などなどの指摘があった。これらの論争――にせの論争とも言いかえられよう――が、当局が大がかりな陰謀を仕組んだという伝説を広め、政府当局を情報操作の発信元であると非難する声もあがった。フェイクニュースの概念は、インターネットよりずっと前から存在していたといっても過言ではない！

◆著者略歴◆

フランク・フェラン（Franck Ferrand）
歴史を専門とする著述家。数多くのベストセラーの著者。おもな著書に、『禁じられた歴史――フランス史秘話』（Tallandier, 2008）、『フランソワ1世、支離滅裂な国王』（Flammarion, 2014）などがある。また、15年間にわたってラジオ局ウロップ・アンの名物番組「歴史に斬りこむ」を担当したのち、現在はラジオ・クラシック局の「フランク・フェランが語る」で歴史にかんする蘊蓄をかたむけ、評判をとっている。

◆訳者略歴◆

神田順子（かんだ・じゅんこ）…14-18章担当
フランス語通訳・翻訳家。上智大学外国語学部フランス語学科卒業。共訳に、ビュイッソンほか『王妃たちの最期の日々』、ゲズ『独裁者が変えた世界史』、バタジオン編『「悪」が変えた世界史』、ドゥコー『傑物が変えた世界史』、フランクバルム『酔っぱらいが変えた世界史』、ルドー『世界史を変えた独裁者たちの食卓』（以上、原書房）、監訳に、プティフィス編『世界史を変えた40の謎』（原書房）、ピエール＝アントワーヌ・ドネ『世界を喰らう龍 中国の野望』（春秋社）などがある。

清水珠代（しみず・たまよ）…11、12章担当
上智大学文学部フランス文学科卒業。訳書に、ブリザールほか『独裁者の子どもたち』、デュクレほか『独裁者たちの最期の日々』、ダヴィスほか『フランス香水伝説物語』（以上、原書房）、ランテルゲム『アンゲラ・メルケル――東ドイツの物理学者がヨーロッパの母になるまで』（東京書籍）、共訳書に、ラフィ『カストロ』、ブレゼほか『世界史を作ったライバルたち』、ルドー『世界史を変えた独裁者たちの食卓』（以上、原書房）などがある。

濱田英作（はまだ・えいさく）…13章担当
国士舘大学21世紀アジア学部教授。早稲田大学大学院文学研究科東洋史専攻博士課程単位取得。著書に、『中国漢代人物伝』（成文堂）、訳書に、甘粛人民出版社編『シルクロードの伝説――説話で辿る二千年の旅』（サイマル出版会）、チャンバース『シク教』（岩崎書店）、共訳書に、ビュイッソン『暗殺が変えた世界史』、プティフィス編『世界史を変えた40の謎』（以上、原書房）などがある。

村上尚子（むらかみ・なおこ）…19、20章担当
フランス語翻訳家、司書。東京大学教養学部教養学科フランス分科卒。訳書に、オーグ『セザンヌ』、ボナフー『レンブラント』（以上、創元社）、共訳書に、ビュイッソンほか『敗者が変えた世界史』、バタジオン編『「悪」が変えた世界史』、フランクバルム『酔っぱらいが変えた世界史』、プティフィス編『世界史を変えた40の謎』（以上、原書房）などがある。

運命が変えた世界史

下

ベリー公暗殺から人類初の月面着陸まで

●

2022年12月25日　第1刷

著者………フランク・フェラン
訳者………神田順子／清水珠代
濱田英作／村上尚子
装幀………川島進デザイン室
本文・カバー印刷………株式会社ディグ
製本………小泉製本株式会社
発行者………成瀬雅人

発行所………株式会社原書房
〒160-0022　東京都新宿区新宿1-25-13
電話・代表 03(3354)0685
http://www.harashobo.co.jp
振替・00150-6-151594
ISBN978-4-562-07245-3